2000社の赤字会社を
黒字にした

社長のノート

仕事に大切な「気づきメモ」

長谷川和廣

かんき出版

はじめに

すこし長くなりますが、私がノートを書くようになったきっかけをお話しようと思います。

私は24歳のとき、ある方が家族同様に信頼していた田原さんという人のカバン持ちとして、名古屋の赤字会社の再生などに立ち会うという貴重な経験をしました。

ある方とは、ＯＡ機器メーカーであるリコーや、銀座４丁目交差点にガラス張りの丸いビルをつくったことで有名な、リコー三愛グループの総帥・市村清さんです。

その市村さんは、ソニーの盛田昭夫さんや東急の五島昇さんなど、当時の多くの若手経営者や文化人から、「経営の神様」として仰がれ、その集まりは、「市村学校」とも呼ばれていました。

そのころです。田原さんから、

「これからはマーケティングの勉強をしておいたほうがいいよ。モノは作れても、売れなければ倒産するからな」

といわれ、その勉強を始めました。わたしが27歳のときです。十條製紙とグローバル企業のキンバリー・クラーク社が、合弁会社の十條キンバリーを設立。日本ではじめてクリネックスというティッシュペーパーを発売することになり、今でいうスカウトという形でマーケティング担当として呼ばれたのです。

そのグローバル企業の世界観、プロの仕事の進め方のすごさに当時はカルチャーショックを覚え、これは忘れずにメモしなければと、仕事に大切なことを思わずノートに書き始めたのがきっかけです。

内容については千差万別ですが、おもに思いついた仕事のコツや仕事のフォーマット、組織の良し悪し、リーダーになれる人となれない人の違いなど、日々「おやっ！」と思ったことを書きとめ、『OYATTO NOTE』（おやっとノート）と名づけました。

ですから私はこのノートを27歳から書き始め、役員や社長をしながら2000社あまりの会社再生をしてきたその後の40年間、つねに自分の気づきをメモしているのです。

その数は200冊くらい書いてきたと思います。しかしボロボロになったのもあり、要点を抜き出してパソコンに入れた後、多くを処分しました。いま、私の机の上には50冊ほどのノートがあります。色やサイズはまちまちです。

私はこのノートを書くという習慣によって、磨かれたことがかなりあり、多くの知的な財産を得たように思います。

まず、営業やプレゼン、社内の会議で引用できるネタが豊富になりました。メモしただけでなく、空いた時間に分析しておくので、付け焼き刃でなく、自分なりに咀嚼した説得力ある会話ができるわけです。

つぎに、判断のスピードが格段に上がったこと。まったく仕事と関係ない事象も、因果関係を分析するクセをつけておくと、「あ、これはあの過去のパターンと同じだ」と類推する脳の回路がつくられたようです。それによって戦略策定力や計画立案力が飛躍的にアップしました。

この「おやっとノート」術は簡単で、本当に役に立ちますので、ぜひあなたにも実践していただきたいと思います。この習慣で多くの得をしたことはあっても、ソンしたことは一度もありません。

いま私の事務所には、私の本を読まれた社長や部長・課長はもちろんのこと、20歳代の若いビジネスマンも多く相談にこられます。ときには数人で勉強会をして議論したりすることもあります。そんな会合で、このノートを参考にしながらお話ししていたら、そこに出席してい

たある編集者の目に留まり、
「この内容はいまのような不透明な時代に、ビジネスマンにとって仕事術や生き方の参考になりますよ」
と本にすることを勧められました。今回そのなかから、すぐに実践して役に立つ仕事術を中心にまとめたものが本書です。

これから一時的に景気は底を打った感があっても、私は、さらに10年は激動の厳しい時代が続くと予測しています。日本の経済環境を考えてみると、少子高齢化やグローバル化による空洞化など、難問は山積です。

こんな時代でも、力強くしなやかに生き抜き、自分の家族を守り、自分の組織を守り、周りの人たちからも信頼され、喜ばれるような働き方をしたいものですね。

そのためには、プロフェッショナルといわれるための基本を身につけていただければと願っています。

本書がその一助になれば、最高に幸せです。

2009年7月

長谷川和廣

CONTENTS

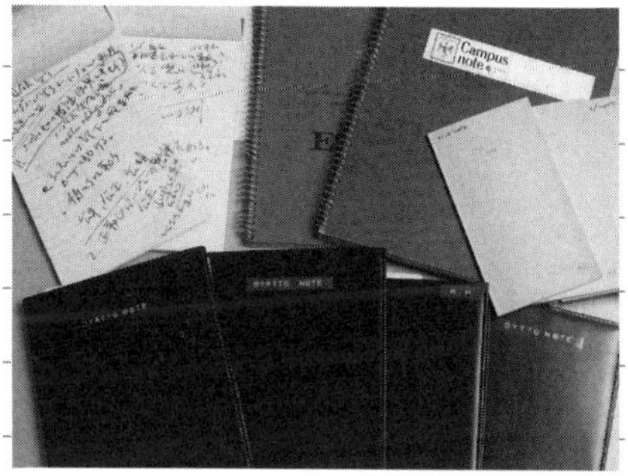

1 はじめに

9 1章
プロ社員にならないと生き残れない

あなたは仕事を「自分の頭で考え、それを楽しみ、そして苦労し、その成功体験を積み上げていく人」ですか？　会社が信頼を置くのは、やはり成功体験の多い人。不況の時ほど、絶大な威力を発揮します！

31 2章
仕事でいい結果を出す人は、
この行動がちょっと違うだけ

あなたの仕事ぶりは、周りの人と比べてどうですか？　日々の工夫、改善、進歩は業績に反映されていますか。仕事でいい結果を出す人は決まって、目には見えない努力をしています。頭ひとつ抜け出すために、今すべきこととは……

by OYATTO NOTE

57 3章
「あなたしかいない!」と思わせる

あなたは「自分で解決策を編み出す人？　それとも人に頼るタイプ？」。この違いは天と地です。おみこしにぶる下がっていたら、すぐにふるい落とされる時代。いますぐ依存心を捨てて、担ぐ側に回らなければ！

75 4章
一流になれる人はここが違う

あなたは「独立して生きていける人？　それとも組織のなかで生きていくことを望む人？」　どちらにしても自立した、能力のある個人として勝負しなければなりません。そのためには行動あるのみです。

101 5章
自分も会社も生き残る

あなたには「経営者の心のうち」が分かりますか？　いまのような大不況時代、トップたちの本心はズバリ、「背に腹は代えられない」なのです。だからこそ、いま以上にやる気を出し、底力を見せつけなければ！

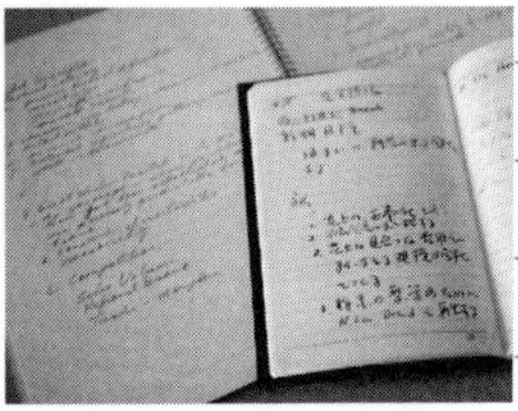

117 6章
会社から大切にされる人、されない人

あなたは「自分の力」をどこまで発揮していますか？　アクセル全開で働いていますか？　少しでも余力があるなら、さらに磨きをかけてパワーアップを。その差は数年後に、ものすごい差になります！

141 7章
売ることを知っている人は強い

自分たちが作り出す商品がどんなに素晴らしく立派だろうと、売れなければ価値がありません。そういう意味で、どんな悪条件にあったとしても、売るというノウハウに熟知している人は頼もしい存在です！

161 8章
自分の得意技を持ちなさい！

会社という組織は全員野球、チームプレーが大切です。でも、個人個人が弱かったら勝ち目はない。だからまず、自分自身をピカピカに磨く。そして補欠からレギュラーに、そしてコーチ、監督へと進んでください！

装丁・本文デザイン＝石間　淳

1章
プロ社員にならないと生き残れない

by OYATTO NOTE

1 プロの仕事人になる5つの必要条件3つの十分条件

私が部下を抜擢するときの条件は単純です。それはその人が「プロ」なのか「アマ」なのかという点。私の考えるプロ社員の見極めポイントは基本的に①やる気②専門能力③調整能力④人望⑤健康の５つ。でも、これだけでは、まだプロの候補生にしか過ぎません。

５つの能力を満たし、その上で、Ⓐ自分で考え、仕事を楽しんでやる人であること、Ⓑ苦労の経験を積んでいる人、そしてなおかつ、Ⓒ成功体験を積み重ねる努力をしている人であることを求めます。

特に私が信頼を置く人材というのはⒸの「成功体験を積み重ねる努力をしている人」です。

成功するためには、常に①～⑤の能力を引き上げる必要があります。そして、その過程では必ず壁にぶつかるはずですが、それを突き破るには楽しみながら仕事に取り組まなくては続きません。そうすれば自然とすべての必要・十分条件をクリアできるのです。

かんき出版の本

2009.11～12

湘南の風に吹かれて豚を売る

・スーツを脱いで見つけた自分らしい働き方

これまでよしとされてきた資本主義というしくみだけでは、どうやら幸せに暮らせそうもない……そう感じているが、具体的に何をしていいのかわからない「78世代」（1978年以降に生まれた世代）に読んで欲しい１冊。きつい・汚い・かっこ悪い、の３Ｋ産業に飛び込んで起業した著者が見つけた、既存のルールに囚われない働き方、考え方のヒントが満載。働くことの意味、起業を考えている人にもおすすめ。

- ㈱みやじ豚代表取締役社長宮治　勇輔＝著
- 四六判　並製　208P
- 定価1470円

10月刊行の本

・めざせ！取りっぱぐれゼロ
債権回収 速攻マニュアル
――本書は焦げ付き予防策から回収の手続き、倒産時の法的対応策まで１冊に網羅。貸し倒れで連鎖被害を被る前に、素早く確実に回収。
弁護士野﨑　研二＝著　Ａ５判　並製　定価1680円

・自社株も不動産も節税効果はテキメン！
社長！ 個人資産が１億円を超えたら「節税会社」を持ちなさい！
――資産を増やすと税金も増える、そう思っているオーナー社長のための本。設立方法から資産の移行、効果的な節税法まで解説。
税理士有賀　靖典＝著　四六判　並製　定価1575円

※掲載の書名・定価は変わることもありますので、ご了承下さい。

誰でもできる、すぐできる！

お客がどんどんやってくるお店のルール46

こうしたら入店客が増える、商品をたくさん見てもらえる、多くのお客に多くの商品を買ってもらえる、という店づくりの法則があり、そのほとんどはセンスに頼らず誰でも修得できる。小売不振で低迷する全国の百貨店・チェーン店を指導して回る店づくりのプロが、小売の原則をオール図解でわかりやすくまとめた。

店舗経営コンサルタント**武永　昭光**＝著

四六判　並製
176P
定価1470円

まずはこの本から！

これならわかる貿易書類入門塾

貿易実務では、「貨物の流れ」「お金の流れ」「書類の流れ」の知識が求められるが、なかでも貿易取引の各段階で登場する「貿易書類」に対する理解が大切。本書は、貿易実務の流れの中で、どのような書類がどのような役割と機能を持って当事者間を行き来するのか、使用頻度の高い書式を満載してやさしく解説。

ジェトロ貿易アドバイザー**黒岩　章**＝著

Ａ５判　並製
224P　２色
定価1575円

No.1エコノミストが書いた

世界一わかりやすい為替の本

人気ランキング6年連続1位の実力派エコノミストが、図解でやさしく解説した為替入門の決定版！　円高・円安の意味から外為市場と取引のしくみ、為替レート変動の理由、代表的な通貨、相場の読み方と予測まで網羅。実務家から学生やビジネスパーソン、投資家まで最適。外貨預金、ＦＸを考える人も必須。

みずほ証券チーフマーケットエコノミスト**上野　泰也**＝編著

Ａ５判　並製
224P
定価1470円

利益が伸びる会社数字の使い方

儲けるための会計

従来の決算書や会計の常識は「カネ勘定」であって、経営者の「儲け方」にはあまり役立っていない。本書は、目的を会社の利益を確保するところに置き、社長から一般社員までが、会社の数字をどう活用すればいいのかについて、実務家が実践・指導している手法を用い、数字嫌いにもわかる〝絵解き〟で説明。

西　順一郎＝監修　**宇野　寛・米津　晋次**＝著

四六判　並製
192P
定価1470円

これで会社は潰れない！

社長さん！ 銀行と上手につき合って資金繰りをよくする方法を教えます!!

出口の見えない不況下で、どうすれば会社を潰すことなく存続できるのか。本書は、事業再生のプロが会社を潰さないための、資金繰り改善の秘訣を紹介。中小零細企業の経営者が、銀行との上手な交渉によってリスケジュールして、会社を利益の出る体質に生まれ変わらせるためのノウハウを満載した、社長必携の1冊。

篠崎　啓嗣・赤沼　慎太郎＝著

四六判　並製
224P
予価1575円

人生のダブルキャリアをはじめよう

30歳から考えるマンションオーナーセオリー

本書は20代後半のキャリア層を対象に、中古ワンルームマンションのオーナー業という資産形成の方法を説明した入門書。マンション経営は、その投資金額の大きさから20代では無理と思われがちだが、長期投資の不動産なら20代後半から始めるのがベスト。少資金の物件で収益を上げる方法をプロが教える。

リヴァックス㈱**巻口　成憲**＝著

四六判　並製
256P
定価1575円

2

プロとアマの差は、とことん限界まで挑戦した経験があるかどうかで決まる

マラソンの金メダリスト・高橋尚子さんを指導した小出義雄氏は、私の幼稚園時代からの友人です。彼のすごいところは、体力とか運動能力の本当の限界はどこにあるかを知っているところです。アマチュアが勝手に感じて線を引いている限界の向こう側に、本当の限界点があることを彼は知っているのです。

高橋選手が小出監督から独立し、チームQでよい結果を出せなかった時、ポツリと「限界の向こう側を知らない人たちと走り回ってもうまくいかない。ホントに真剣にやるときは、あの上のことをしなくちゃダメなんだ」ともらしました。

仕事も同じです。「本当にこれ以上はダメだ」と思ったその先に本当の限界があることを覚えておいてください。そしてその本当の限界を目指して努力することが、あなたの能力をプロのレベルに引き上げるのです。

3

利益はどうして生まれてくるのかを知っている人は強い！そういう人は1円の重みを知っている

会社が収益に敏感なのは当然です。しかし私は収益を無視した経営をして業績が悪化している企業をたくさん見てきています。経営者ですらそうなのですから、普通の会社では70％の社員は利益についてあまり関心がなく、真剣なのはほんのひと握りの人間だけです。

上から申し付けられたミッションを、ただ従順にこなしていれば自然と利益が上がる。……そんな時代はもう過ぎ去りました。社員の一人ひとりが「たとえ１円でも多く！」という利益への執着心を持っていないと、とても実益を生み出す組織は作れません。

ですから私が企業再生を請け負った時、最初に手をつけるのは「この会社はどういう方法で利益を生み出すべきなのか」ということを、社の全員に、まさに洗脳に近いカタチで理解してもらうことです。

他社と差をつけるのなら、まず自分の会社がどうやって利益を得ているのかを、寝言に出てくるまでに十二分に把握することです。そして人一倍、利益に対してシビアになることです。

4 売り上げに悩んだときの言葉

企業は社会環境に合わせて、対応を刻々と変化させていかなくてはなりません。荒海の中では帆を下げ、凪なら潮の流れを探し、利益という目的地を目指す存在です。ですから、初めて部下を持ったら、またセクションのリーダーを命じられたときは、「いま自社が、そしてこの自分の仕事が、どんな状況にあるか」に常に敏感でした。以下は私が役職者として、毎日のようにつぶやいてきた呪文。つまり、この会社や商品は、

力が弱いのか強いのか、弱体化しているのか？

可能性があるのか、ないのか？

拡大するのか、縮小するのか？

伸びるのか、伸びないのか？

高いのか、安いのか？

やる気があるのか、ないのか？

じゃあ、それがどうしたんだ！

です。実は上の６つ目までは自分が率いる組織の立ち位置をチェックするための言葉。そして最後の「じゃあ、それがどうしたんだ！」はマイナス要因にとらわれずに、頭をポジティブに切り替えるための「スイッチ言葉」といえます。

5

仕事のプロになりたかったら応用技は後回しに!

プロフェッショナルというと、何だか人間ワザでは想像もつかないような華々しいファインプレーを連発する人物をイメージするかもしれません。しかし、本当のプロとは、エラーをしない人のことです。

もともと私は、仕事というものは95%が表面に表れない努力で、あとの５%が結果として目に見えてくるものと考えています。ですから華々しい結果があるからといって抜擢せず、仕事をきちんとこなしているかどうかを注意深く見て昇進を決めてきました。結果主義ではなく能力主義であるよう心がけました。

社員というものは、計算できる安定感があって初めて仕事を任せられるのです。

そのような理由から、プロになるためには何より「取りこぼさないこと」が重要だと思います。そして取りこぼさない仕事をするために大事なのは１にも２にも「基本」です。一発長打を狙うより、確実なヒットを積み重ねる。そんな人材こそ、上に立つ者の目には頼もしく映るものなのです。

6

仕事はどこが面白いか？
そんな発見能力がないと
不平不満が残ってしまう。
仕事へのモチベーションを
高めるために考えたいこと

「何のために働くのですか？」という質問を、20代の若手社員を前にしたとき、生活のため、お金のため、家族や恋人のため、将来のため、そして趣味のため……などという答えが多かったことを記憶しています。

まあ、これはある程度、予想していた回答でもあるのですが、私としては、「仕事の面白さの追求」とか、「やり甲斐のため」という答えを期待していたのです。

そうです！　どんな仕事、どのような部署でも、そこで面白さを発見し、ワクワクしながら働かなくては、成長もないのではないでしょうか。

私がある再生企業の社長をしていたとき、営業で頑張っていたひとりの課長を、倉庫の商品管理部へ異動させたことがありました。本人も最初はムッとしていましたし、周りには左遷かと思われたようですが、そこで彼は棚卸の効率化業務に楽しみを見出し、業績に貢献。その部署の花形になりました。この例を見ても、成功する人というのは必ず、自分の仕事のなかに面白みを発見する人だと感じるのです。彼はいま、本部長にまで登りつめ、将来が期待されています。

7 社内で利益を生むシステムづくりをやり遂げる口ぐせ

あなたが上司という立場であるなら、良い会社にするために立ち上がらなければならないケースが多々あるはずです。しかし、組織の壁は厚い。足の引っ張り合いは日常茶飯事。また現実問題として、昇進するにしたがって無気力になる人も多いはずです。

しかし、利益を生むシステムを作るために、やるときは断固やるべきです！　そんな時、私がつぶやく口ぐせは、

不人気を覚悟する

ためらわない

ひるまない

誠意を持って、事に当たる

毅然とした態度を貫きとおす

忍耐強く行なう

というものです。改革への決断、実行への強い意志、結果への覚悟が必要なのです。同時に明確な改革目標を部下に理解してもらい、達成への明るい見通しを示さなければなりません。

8

リーダーの心構え 7か条

1. 原理・原則を重視する。
2. 悪い情報を隠さない。
3. 敏速に行動する。
4. 会議は最小限に減らす。
5. 自ら仕事を作り出す。
6. 信賞必罰が実行できる。
7. セクショナリズムに陥らない。

by OYATTO NOTE

9

上司として
管理職として
知っておかなくては
ならない情報の
99%は
身の回りにある!

役に立つ管理職であるために大切なことは、経営環境のなかで、自社に影響を及ぼすと予想される先行指標をどれだけ見つけることができるかということ。そして、見つけたそれらの指標を、自社の経営に有利に導くために活用することです。

例えば出勤率をウォッチすると業績が読めます。実は再生を必要とする会社の多くは、就業規則が守られていません。出勤率が高いと社員のモラルも高く生産性が向上しますが、出勤率が低い部署はモラルが低く生産性が落ちています。これとよく似た例は、会社のなかにたくさんあるのです。

製品の動き、顧客の動き、競合の動き、どれをとってもその動きを見逃すと致命傷になりかねません。貴重な情報の99%は身の回りにあることを忘れない。そんな視点を持つことが管理職に求められているスキルなのです。

10
伸びる人は変化させることができる人

赤字の再生企業に出向いた際、私がまず味方につけたいと思う人材は「変化することができる人」でした。

私が企業競争の現場で経験した結果を分析してみると、多くの会社で起こった繁栄と衰退には、明らかな原因がありました。生き抜くことに成功している会社は、刻々と変わる社内外の経営環境を見極めて自分の会社を変化させることができる力がある。

一方、不幸にして生き抜くことに失敗した会社は、弱点を自ら変える力が弱っていました。古い体質を改善できずに「儲けを生み出せないシステム」のままでいたら、時間の経過とともに格差は、どんどん広がってしまうのです。

これは個人のレベルでもまったく同じではないでしょうか。「実績を生み出せない自分」のままで、ただ給料をもらっているだけでは、いつの間にかライバルたちに差をつけられてしまいます。

まず、個人レベルでいままでのパラダイムを根底からシフトする、その勇気を持ってください！

11

あなたが本当の「人財」になるための8つの言葉

よく人材のことを「人財」と表現しますが、的を射た使い方をしているのを見たことがありません。私が心の中で定義する「人財」とは「未来を自分たちの手で作っていける人」のことです。そのためには、①人柄がよくなろう②人知れず努力しよう③雑学を学ぼう④人の眼をしっかり見て話し、明確な答えを返そう、という「魅力のある人になる」ための４つの言葉と、⑤金の切れ目が縁の切れ目と割り切ろう⑥どんなに信じ合っても裏切りがある、という「人間の本質への諦観を持つ」ための２つの言葉。

さらに、⑦本物は絶対に生き残る⑧出る杭は打たれるが出過ぎた杭は打たれない、という揺るぎない生き方をするための２つの言葉を実行することです。

人間、どんなに好かれていても仕事を成し遂げる過程で裏切りにあう可能性は否めません。そこで折れない心を保つ――そんな効果が、この８つの言葉をつねに唱え、実行することにあるのです。

12
赤字の会社にうずまく「マイナスの口ぐせ」にご注意！

再生会社に出向くと、社内は「マイナスの口ぐせ」を唱えている人でいっぱいです。たとえば、「どうでもいいや」「誰かが、そのうちやってくれるだろう」「それはこっちの責任じゃない」「おまえ、やっとけ」「ま、いいか」「この給料じゃ、やる気にならない」などなど……。

これらのマイナスの口ぐせで社内があふれかえるのには、大きく分けて５つの原因があります。

①社長や経営幹部がいても役割を果たしていない

②はっきりした理念や目標を作っていない

③組織が複雑で、誰が何をやっているか分からない

④赤字なのに給料がどこから出ているかが分からない

⑤自社の強みと弱みを知らない

これは、ダメな人間も同様。頭を使っていない、自分のゴールを設定していない、仕事の流れを理解してコントロールしていない、利益をどのようにして生み出すかに無関心、つまり自分の長所も弱点も知らないということなのです。

13

ハードに仕事するのが一番、シンプル！

不況において企業が取るべき道は３つです。市場のシェアを奪うか、自己をスケールダウンするか、海外に進出するか——生き残るために存在する道はこの３つに集約されます。

これは個人レベルでもまったく同じです。同僚の誰よりも働いて社内での評価というシェアを得るか、いまの何割も安い給料に甘んじる覚悟を決めるか、または新しい市場をどこかに求めるかということです。比べてみると後者の２つは不確定要素が多く、本当に勧められるのはハードワークをやり抜けということにならざるを得ません。

安い給料でガマンして居場所を確保したとしても安心できません。現代は所得の低い者が割を食うシステムですから。また、新しい市場、つまり転職先や新しい商売が成功する可能性は見込みにくいのが現状ですから、会社を飛び出すことも勧められないのです。

結局王道は、「あいつは人の３倍働く」と誰からも認められるくらいの情熱を見せることなのです。

14
部下の力を120%引き出す組織づくりの方法

役職がついて組織のリーダーになったなら、上手に部下を動かして、よい結果を出していかなくてはなりません。私が数々の企業を再生していく過程で見つけ出した効果的な方法は次の６つです。

①若いエネルギーに仕事を任せる。それは、年功序列ではなく、能力重視ということになります。

②内に聖域を認めない。これは悪弊や旧弊を勇気を持って断ち切るということです。

③無意味な序列を廃止する。上司みずからが派閥のような「お友達グループ」を作るのも禁物です。

④人材を抜擢する。適性を見極めた人員配置を心がけるということでもあります。

⑤提案の言いだしっぺが損にならない組織を作る。

⑥早く手を打つ。意思決定を早くということです。

組織というものは多かれ少なかれ「不満」が出てくるもの。しかし、この６つを実行すれば、きちんと結果を出せ、不満も最小限の組織を作ることが可能です。

15

改革を唱えることは簡単！しかし、組織に浸透させるのは至難の業

トリンプの社長として現役時代に19年連続の増収増益を果たした吉越浩一郎さんは、型破りな社内システム作りの達人でした。例えば昼食時間は11時半から12時半。他の会社がみんな12時からなら、早くスタートすれば混雑に巻き込まれずにのんびり食事ができるというわけです。また「TTP」なる言葉を社内に広めました。このキーワードでますます利益を上げたそうですが、これはTettei Tekini Pakuru！　つまり「徹底的にパクる！」の略。パクった末にオリジナリティをプラスαすれば完成度の高いオリジナルの仕事になるという考え方で、他社のいい点は徹底的にマネするのを正義としました。

非常にシンプルな発想ですが、ここには他社にはマネできない２つの素晴らしい点があります。旧弊からの脱却を断行すること。そしてその発想を、機知をまじえて社の隅から隅まで浸透させたことです。よい結果を出し続けた名社長たる所以はここにあるのですね。

16

人の上に立ったら知識の「理論武装」をししかも強い言葉で相手にグウの音も言わせない「知的腕力」を使いなさい

衰退していく会社を見ていると、そこの社員たちの多くは思考停止しています。自分たちが何をしたらいいか分からず、ただ１日が過ぎればいいという集団でしかない企業もあります。

組織の長になった時、「やる気を忘れる」「責任感を感じない」「無関心」「慣れに安住する」「無気力が気にならない」といった部下たちを目覚めさせるのはあなたの役目です。

だからといって部下のミスを、これはいい機会だとばかりに、「いったい何年、仕事をしてるんだ！」という言葉は必ずしも得策ではありません。

私はかねがね「リーダーには知的腕力が必要」と強調してきました。頭ごなしに部下を屈服させるだけでは部下をいい方向に導くことはできません。自分の実力を誇示しながら部下をやる気にさせるためには、ひと工夫が必要です。叱る場合は、「できる／できない」を問題にせず、「やる／やらない」を基準に叱るのです。「何年、仕事してるんだ」と言うより「どうしてすぐに、○○に電話しなかったんだ」と言うように、具体的に指示することが大切なのです。

17
成功する人は失敗しない。なぜなら勝つまでやるからだ

ギャンブルの必勝法を知っていますか？　それは勝つまでやることです。ただし、お金があり余っている人にしか、この必勝法は使えません。ギャンブルを仕事と置き換えて考えたとき、お金の代わりになるのは「やる気」、モチベーションの強さです。

ピンチとチャンスは本当に隣り合わせです。今日１日営業に回ったけど、１件も契約を取れなかった。そんな時、「今日は日が悪い」と早々に諦めて喫茶店でひと休みする人と、「せめてもう１件！」と外回りを続ける人のどちらがよい結果を残すかは、自明の理でしょう。

もちろん、営業の成功率を上げるための工夫も必要でしょう。話のキッカケをつかむための雑学なども必要でしょう。でも、それは枝葉に過ぎません。根っこに必要なのは「必ず成約を取るぞ！」という気合いであり、その情熱を持ち続けるハートです。

やる気はギャンブラーのお金と同じで、成功体験を重ねるごとに大きく増えていきます。ですから、成功するまであきらめない人間が最後に勝つのです。

2章
仕事でいい結果を出す人は、この行動がちょっと違うだけ

by OYATTO NOTE

18

負けの連鎖から逃れるために まず廊下の真ん中を 歩いてみよ！

私がニコン・エシロールの再建に成功した頃、同じビルに同居していた赤字に苦しむ子会社の社員たちは廊下の端を歩いていました。ニコン・エシロールの社員は黒字転換して「自分たちもやればできる」という自信をつけたのに対し、子会社の社員は「やってもムダ」と思い込んでいたわけです。

負の連鎖を断ち切る一番のクスリは成功体験です。しかし、このご時世ではほんの小さな成功もなかなかつかめない。そういうときには思い切って成功している人や業績のいい会社のマネをしてみることです。廊下の端を歩くのをやめて、大きな声で話してみる……それだけで意外と前向きな気持ちになれるものです。

とりあえず気分を変えれば、仕事への取り組み方も変わり、よい結果が出てくるものです。努力しても結果が出ない——そんなときこそ根拠のない自信でもいいから、堂々とした振る舞いを心がける。それが事態好転の鍵になるのです。

19

計画上手な人は6つの能力を持っている

私がすべての再建会社にしたことのひとつは、全社員に「業務チェックリスト」という計画書の提出を義務づけたことです。これは課題について、どんなスケジュールで、どのような手段を使って解決するかを1か月の行動予定にして書くものです。

業務チェックリストをきちんと作成するには、

①問題を発見しているか

②問題についての情報を分析しているか

③最重要の問題は何かを見抜いているか

④問題解決のための目標を設定しているか

⑤目標を達成するための戦略を作り上げているか

⑥戦略を具体的な行動に落とし込んでいるか

という6つの能力が必要になります。このうちひとつでも欠けた要素があれば、見当外れで意味のない仕事をしてしまったり、実現不可能だったりといった結果になるのです。業務チェックリストを書くようになってから、社員は常にこの6つの観点から仕事を考えるクセがつき、驚くほど仕事上手に変身しました。

20
素直に「ありがたい」と思える心を持ち続けよ！

仕事をしていると「なぜオレがこんなことしなきゃならないんだ」と、自分だけが割に合わないことをしているような気分になることがあります。他の人が起こしたクレーム処理を任される、人気のない部署に転属されるなど、どうしても被害者意識を持ってしまいがちです。しかし、ネガティブな心境のままで仕事をしても、うまく運ぶはずがありません。

私が20代の頃、上司によく「おまえ、“ありがたいの心”を持っていないと辛くなる一方だよ」と言われました。アポイントの時間より前に取引先に伺ったのに、受付で１時間以上待たされていたときも、「向こうもオレたちを待たせるほど忙しいのに、時間を作ってくれたんだ。ありがたいと思っておけ」と言うのです。上司のそのひと言でイライラした心がスーッと収まって、商談もうまくいきました。自分の都合ばかりで物事を考えていると、ありがたいと思う気持ちは薄れてしまいます。実はそこに仕事を滞らせる落とし穴があるのです。

21

不運は天の思し召し！そんな割り切りが新たなチャンスを呼ぶ

ラグビーの話だったかサッカーの話だったか忘れましたが、日本人というのは真正面からのペナルティキックに滅法弱いんだそうです。絶好の得点チャンスだからこそ外したときの糾弾を恐れ、身を強張らせて失敗してしまいがちなのだとか。

逆にキリスト教圏の選手たちは、失敗したところで心のどこかで「天の思し召し」と考えるので、常に前向きな気持ちでキックできるのだそうです。

私も42歳の時、脳内出血で生死の境をさまよい、順風満帆だった人生が崩れ去った経験があります。その時、「自分が何ひとつ価値のない人間だったらそこで死んでいただろう。天はきっとチャンスを与えてくれたんだ」と考えたら、心がスーッと軽くなりました。

失敗ではなく不運で敗者になることはあるのです。そんな時、決して自分を価値のない人間と決めつけないでください。一度は負け組に甘んじても、復活する方法は必ずあります。まず、心を前向きに変えましょう。

22

許される失敗は3度まで！

アメリカンフットボールというスポーツは４回攻撃権があって、その間に10ヤード進まないと攻撃権を剥奪されてしまいます。現在の会社というのは、本当にこれによく似ているなと思うのです。つまり、３回までは失敗が許されるという印象があるのです。

しかし、何も考えずに漠然と３回失敗を続ける人と、たとえ負けても、１回１回攻撃するたびに敵の弱点や味方のストロングポイントを見極めて作戦を立てる人とでは、大きな差が出るのです。

ビジネスはその都度、真剣勝負です。結果的に失敗しても、少しでも前進するために全能力をつぎ込む姿勢が大事です。そして、それをするからこそ失敗も糧となるわけです。ですから、できるだけ３回目までには成果を出すことが重要です。

アメリカンフットボールでも４回目の攻撃では、パントキックという敗戦処理的なプレーが選択されるのが普通です。あえてもう一度攻撃する場合はチャレンジではなく、「ギャンブル」と表現されてしまうのです。

23

ホンネを引き出すには甘い言葉だけじゃダメ！

企業の問題解決屋というのは、戦争で言えば落下傘部隊みたいなものです。業績の悪い会社へ単身乗り込んで、「ココが悪い、あそこがいけない」と担当者のそれまでの仕事のやり方にケチをつけるわけですから、憎まれるのも当然。文字通り、周りは敵だらけという状況です。

そういう時でも、あえて私はケンカを吹っかけることがあります。というのも、いきなり現れた私という人間に本音を見せる人など、まずいないからです。

こちらも事前に情報収集しているとはいえ社内の事情を把握しているわけではありません。そんなとき思い切って、「あなたが手を抜いているから、○百万円もの損失が出たんじゃないか？」などと怒鳴ってみる。すると、「本社のほうがむちゃばかり要求するから、現場はやっていられないんだ！」などと反論してくる。そこで事前の情報収集だけでは見えなかった問題点が分かるわけです。

ここで重要なことがひとつ。内容はビジネスの話に限ること。そして、次の日、自分が悪くなくても「昨日は言い過ぎた」とフォローすることです。

24
ビジネスの現場に必要なのは実はネガティブ思考！

企画会議の時、出てきた数々のアイデアに「期日的にムリがある」「予算が足りない」「どこそこの会社でも同じことをしている」などと、弱点やマイナス面を指摘し続ける人がいます。ネガティブな意見に終始する人がいると場の空気が悪くなりますし、下手をすると「もっとポジティブに考えろ！」と糾弾されかねません。

でも、そういう発想は罪なのでしょうか？　私はそうは思いません。ひとつの案件からネガティブな要素を一つひとつ洗い出していく作業は、むしろ重要な思考過程です。ポジティブ思考のワナは正常なチェック機能が働かなくなる点にあります。まさしく太平洋戦争中の大本営のように、「縁起の悪いことを言うヤツは粛正！」というふうな無策の『神頼み集団』になりかねません。ですからネガティブな要素に対して、辛くても正面から向き合うことは必要なのです。

ネガティブ思考はビジネスにとって重要な才能。ただし、それだけでは単にケチをつける人。嫌われないために代案を考えだせる柔軟性を持ちたいですね。

25

仕事ができる人とできない人の差はスタートダッシュの差に過ぎない！

優秀なビジネスパーソンは素早く決断できる人です。というと、頭の回転の速さで優劣が決まってしまうような気がしますが、現実はそう単純ではないのです。仕事ができる人を注意深く観察していると、「こんなときはこう対処する」「それが不可能ならこんな手も使えるぞ」と常に様々な事態を想定していることに気づきます。

多くの人はトラブルが発生して初めて考え始めますが、優秀な人は突発事項に出合っても、すでに頭のなかでシミュレーションしているので、「織り込み済み」なわけです。

頭の回転が速いのに仕事で後手に回ってしまう人は、スタートで出遅れているだけなのです。通勤電車のなかで10分間、ネガティブ思考で、仕事の流れのなかで起こりうるトラブルとその対処法を想定してみるだけで、決断力や仕事の安定度は劇的に上がるものです。

26
どんな難題に当たっても その場で決断を下すクセを

ニコン・エシロールの社長時代、フランスのエシロール本社での全体会議のため渡仏していた時の話です。会議の前日、真夜中の３時頃に東京から電話が。「問屋さんが倒産した」という内容です。このままでは売掛金が回収できなくなるだけでなく、流通がストップして商品が小売店に流れなくなってしまいます。

私は同行していた幹部社員全員を叩き起こして、対応策を決めました。３時半にはその内容を東京に伝え、同行幹部のうち２名を朝一番の飛行機で帰国させ、陣頭指揮に当たらせることにしたのです。

いま考えても、この時の私の決断が正解だったとは自信を持って言えません。しかし、この時30分で決断を下し、行動し始めたことだけは大正解だったと思います。最悪、10日間はストップすると思われた小売店への配送を、１日も止めずに済んだわけですから。

正解を出すのも重要ですが、正解を出す間にも状況が刻一刻と変化するのがビジネス。愚策でも結論を出すことがビジネスでは有利に働くケースが多いのです。

27

失敗を恐れて慎重になる。実はその気おくれがチャンスを逃す原因!

あなたが取引先から「ちょうど良かった！　今度ラインの切り替えで○○○が廃番になるから捨て値でどうだい？」と持ちかけられたとします。「じゃあ、早速社に持ち帰って検討させていただきます」と答え、課長、部長、社長と決済印をもらって回ったとしても、取引先に連絡した頃には在庫担当者から「あ、ごめん。売れちゃったよ」と絶好のチャンスを棒に振るのがオチ。

例えば上のケースなら、その場ですぐに電話をかけて直属の上司に判断を仰ぐ。自分の判断に自信がなくても、それくらいはできるはずです。

何度も失敗を繰り返す人に限って失敗を恐れて慎重になり過ぎ、判断のスピードが鈍くなってしまう傾向があります。ビジネスは拙速を尊びます。なぜなら「速い判断」＝「素早い行動」だからなのです。何かを決めるということは、そこですぐさま行動に移りなさい、という意味でもあるのです。

28

今の日本は減点主義では成り立たなくなってきた。生き残りに失敗してもチャンスはあると考えよ！

高度成長期には、同業他社と同じようなことをしていれば、とりあえず会社は成長していくことができました。また、その会社で働くサラリーマンたちも、人と同じように仕事をしていれば会社に利益を与えることができました。だから、ミスをした人間にチャンスを与えない減点主義がまかり通っていたのです。

しかし、市場が縮小していく現在、従来通りの仕事をしていて成果が上がるわけはありません。減点法で評価していてはほとんどすべての社員に×印がついてしまいます。誰しも失敗する可能性があり、「能力がないから失敗するんだ」という論理が成り立たなくなっているのです。

ですから、失敗を恐れずチャレンジする心、失敗しても恐れずチャレンジを続ける心を持ち続けてください。失敗してもチャレンジする社員がいないと、会社のほうも生き残れない時代なのですから。

29

営業上手はなぜか特別サービスされる。さて、その理由とは？

私と食事をしたことがある人はみんな、私が不思議と店の人から、何かとサービスされることに驚きます。私の行きつけの店ならともかく、初めて入った店でも店員のほうから「これはお店からです」と料理やワインを特別サービスしてもらえることがあるのですから、驚かれるのも当然かもしれません。

ただ、私はそこで何も変わったことをしているわけではないんです。たった１つ、何かお願いする時に「店員さんの名前を呼ぶ」ということ以外は……。

人間というものは、ただお互いの名前を呼び合うということだけで「店と客」という関係から、もう一歩親密な関係になれるものです。

この話は決して自慢するつもりでしたわけではありません。成果の上がらない営業マンほど顧客を「お客様」としか呼ばず、名前を覚えようという努力すら怠っているケースが多いからです。上っ面の関係でモノが売れるほど、世間は甘くはないのです。

30

期日が1日過ぎた瞬間、「信用」は「不信」に変わる！

あなたがもし行動予定表や日報の提出、経費の精算などが遅れがちのタイプだったら、すぐに改めてください。ひどい時には、お客様への納期が遅れても平然としているのは、決まってこのタイプだからです。

一番の問題点は期日を守れなかったことを心底失敗だとは捉えていないところ。でも、そんな心がけでは周囲の評価は落ちる一方です。

私は信用というのは借金と同じだと考えています。1日締め切りから遅れると、その分の利息がひとつ増えていく……つまり、不信感が大きくなっていくのです。

実は会社員として信用を失うことは致命的なのです。なぜかと言えば信用のない社員には誰も仕事を任せないから。仕事を任せられないということは信用を取り戻すチャンスもないということ。ですから、大失敗した社員より大きなハンデを背負ってしまうということを心しなくてはいけません。このサバイバル時代、生き延びたかったら、どんなに小さい案件の期日もしっかり守る習慣を身につけてください。

31

「利益を出す！」その発想がスッポリと抜けている人が意外に多い！

以前、私が再建を担当したあるメーカーで、セールスプロモーションのための店頭イベントを開催することになりました。イベントの成否は主婦層をどれだけ集客できるかにかかっています。担当者からプランが上がってきた時、それは一見完璧なものに見えました。集客法や雨天の場合の対処法まできちんと練り上げてあったのです。しかし……、そのプランにはどれだけ売り上げに貢献できるかという記述が、どこにも見当たらなかったのです。

冗談のような話ですが、利益についての発想がスッポリ抜け落ちている「お役人型ビジネスマン」は意外と多いのです。そしてその大半は、自分がそうだということにまったく気づいていません。特に赤字会社の社員にこの手の企画書を提出させると、半数以上に利益に関する記述が見られないことも珍しくないのです。

「いくら儲かるのか？」が仕事人の基本です！

32

経費削減で負け組に転落する営業マン、結果を出し続ける営業マン。その差はどこに!?

「経費削減で、営業マンのタクシー利用は全面禁止！」

こんな命令が出ると、必ず３パターンの反応が出ます。一番多いのが、①回る件数は減っても、とりあえず電車を使って営業活動を続ける者。②「それじゃ仕事にならない！」と不平を言う者。そして、③電車に乗っていままでと同じ件数を回るためにはどうするかを考える者です。

そしてこのなかで一番のリストラ候補は、①の営業件数を減らすパターン。実は②のパターンは、不平の多いのは問題ですが、営業に回りたいという熱意が感じられます。でも①の営業マンは「移動に時間がかかる分、実働時間が減るのは当然」という、バイトのような発想で仕事をしているとしか思われません。

もちろん望ましいのは③の頭で考え、知恵を出して解決しようとする営業マンです。与えられた条件のなかで最大の成果を出すことこそが、ビジネスの醍醐味です。

33

この先10年、日本企業は淘汰されていく。あなたの会社がなくなる日も…

人口減少なども含めて、市場が確実に縮小していく現代、この先10年間に楽観要素はひとつもありません。今後の大きな流れをシミュレートしておくことは、あなたが生き残る方法論にも大きく関わります。

まず厳しい市場のなかで、財務体質の弱い企業が淘汰され、寡占化が進むでしょう。そして最終的にはマーケットごとに１社だけが勝ち残っていく……そんなトーナメント戦がこの先10年続くと私は考えます。

勝者だからといって安心できません。弱い企業を淘汰するということは結果的に失業者を生み出し、結果的に市場の縮小に拍車をかけるわけですから……。

ですから、勝者は敗者たちを吸収し、失業者を救う必要があるのです。政府から雇用法の整備などといったカタチで要求される可能性もあります。

行き着く先は、過去の「公社」のような企業体が業種ごとに登場する、そんな可能性さえあると私は考えているのです。

34
どこかで必ず負けをかぶる時代…。復活の条件を胸に秘めておけ

現代の企業は、甲子園での高校野球のようなトーナメント戦をくり広げています。プロ野球やJリーグなどのように「今日は負けたけれど、明日勝てば３位キープだ」などと悠長なことは言っていられません。負けた瞬間、ゼロになってしまう。そして１つのイスを残しすべては敗者となるのです。このような状況では、あなた自身も不本意ながら、負け組に振り分けられてしまう危険性も多々あります。

そんな時、「自分は運が悪かっただけだ。時間がたてば風向きも変わるだろう」と事態の好転を待ち望んでいるのは大ケガのもと。坂で転んだ時、重力に身を任せているようなものです。ブレーキをかけないと、いつまでも下り坂を転げ落ちていくことになってしまいます。

もし、下り坂にいると感じたら一刻も早くその流れを止めること。落ちれば落ちるほどやる気が失せてくるし、頂上が遠くなってしまいます。上るのが辛くならないうちに、もう一度頂上を目指して動き出すのです。

35

ビジネスという ゲームのなかで 生き抜く感覚を あなたは持っているか!?

勝者と敗者がいる——。ビジネスというのはゲームに似ています。でもゲームとまったく違う点が一つあります。それは「プレー中にルールが変わる」という点です。多くのゲームは、みなが同じコンディションのなかで、しかも不変のルールを使って勝者を決めますが、ビジネスは朝と昼とでは突然ルールが変わることもあるし、勝ちの条件が変わるケースもあります。

例えばリーマンショック以前と以後とでは、商取引のルールが厳しくなり、不正に対する監視の目が強化されました。このように変化のある世界を生き抜こうとするわけですから、ビジネスパーソン個人個人はいま、どんなルールでゲームに参加しているか常にアンテナを張り巡らせておくべきです。

そして突然ルールが変わるという状況は、企業対企業だけでなく社内、部署内、取引先や上司などの個人対個人でも起こることと肝に銘じていてください。

36

ピンチは短期間で一気に脱出する！これが大赤字から学んだ黒字転換術の極意！

私は2005年にニコン・エシロールと同じグループ企業のニコンアイウェアの代表取締役を兼任しました。慢性赤字が続き、会社の存続も危ういといわれていたニコンアイウェアの経営を任された時、私は周囲に「３か月後に絶対黒字にする」と宣言したのです。

周囲は冗談かと思ったようですが、実は何年もかけて赤字を解消するより、短期間で一気に改革したほうがずっと楽に黒字化できるのです。

収支を黒字にするためには非常に細かな作業が必要です。工場の工程の見直しから営業マンの経費まで全てを精査しなくてはなりません。

そのため、この作業を延々とやっていくと「今日できなくてもいいや」という怠け心が、つい湧いてきます。するとゴールに近づかない、ますますやる気が失せるという負のスパイラルに……。ですから、ハードなことほど短期間で終わらせるのが仕事のコツなのです。

37

企画書はA4の紙1枚で！それ以上はムダなこと

最近はパソコンで、カラフルでビジュアル的にも凝った資料や企画書を作成することができるようになりました。しかし、私はあえて紙1枚で企画書を提出させていました。なぜなら企画の趣旨を1枚の紙でまとめられないような社員に仕事を任せても、うまくいかないことが目に見えているからです。

良い企画書には、①問題点の提示、②問題についての情報の分析、③最重要の問題点の提示、④問題解決のための目標の設定、⑤目標を達成するための戦略、⑥戦略を遂行するための具体的な行動――、といった6つの要素が明示されています。これらを明確に書けば、紙1枚で十分まとめることもできるのです。

この6つの要素を書き出せないということは、企画を成功させるためのキーファクター（要因）を本人がきちんと把握できていない証拠です。企画書を女子学生のノートのようにカラフルに彩る時間があったら、この6つの要素の明示に全神経を使うべきです！

38

ビジネスマンの頭で、カメがウサギに勝つ方法を考えなさい

あるメーカーの採用面接試験で「ウサギとカメが競走することになりました。法律違反をせずにカメがウサギに勝つ方法を考えてください」という問題が出されたそうです。

ビジネスマンならどんなに不利な状況でも、勝つための戦略やルールを具体的に考えなければなりません。出題した会社の正解は分かりませんが、私なら「川や池を横切るコースを設定してカメに有利にする」とか、カメは万年生きるので「ウサギの寿命より長いスパンのレースにする」といった解答に高得点を与えます。

つまり足が遅いという短所より、「泳ぎがうまい」「寿命が長い」というカメの長所を引き出すルールを見つけ出す能力がビジネスには重要です。これらの答えを出したビジネスマンなら、自社の製品の長所を生かした販売戦略を立てられるに違いありません。

39

お金に苦労しなさい！そしてお金に執着しなさい！

私の実家の家業は材木商でした。兄が継いだので私は家業にはノータッチでしたが、商人の家庭に育ったせいか「たとえ１円でもお金は大切」という意識が根底にあるようです。

社会に出て意外に感じたのは、サラリーマンという人種は案外１円に無頓着だということでした。特にサラリーマンの家庭で育った同僚たちは、１円でも安く仕入れて、１円でも経費を浮かし、１円でも高く売る、という思考回路と行動力に欠けているように思えたものです。

しかし、少しでもこちらに有利な条件を引き出し、少しでも多くの利益を得ることこそがビジネスの根本。だからどこかで「１円に苦労し、１円に笑う体験」をしてコスト感覚を養っておいて欲しいのです。同じサラリーマン家庭でも、下宿生活で苦学した人のほうがコスト感覚に優れています。週末、奥様の買い物につき合うだけでも、コスト感覚が磨かれるでしょう。

40

主婦の金銭感覚をいますぐ見習いなさい

自転車に乗ってスーパー巡り——節約主婦のコスト感覚に、いかにビジネスのエッセンスが詰まっているか、少し具体的に説明しましょう。

節約好きの主婦はまず、毎朝スーパーのチラシをチェックし、1円でも安い特売があれば少々遠くても自転車で買いに行く。新聞屋さんが来れば、少しでも多く洗剤をもらうために粘り強く交渉する。使わない電気はこまめに消す。とにかくムダなコストは徹底的に省きます。情報収集から交渉、経費削減まで、これほど精力的に行なうのは、自分の家のお金だからかもしれません。

反対にダメな社員は「どうせ会社のカネだから」と、少々コスト高になってもつい自分のカラダが楽な道を選びがちに。社員全員が少しずつ楽をする道を選べば、「塵も積もれば方式」で全社的には莫大な損失となってしまいます。

果たしてこんな社員を、経営者は喜ぶでしょうか？答えは明らかだと思います。

41

ビジネスの人間関係は「金払い」につきる！

取引先の人とつき合う上で、どのようなことが求められるかを若手や中間管理職に聞くと、「誠実さ」「ウソをつかない」「駆け引きをしない」「約束を守る」などといった答えが返ってきます。確かにどれも大事な要素ではありますが、私には少々ピントが外れた具体性のない回答と感じられるのです。

なぜならこれらの最も大きな原因、基本はすべて「債務を履行する」、すなわち「約束通りにお金を支払う」ということに集約されるからです。決められた期限内にお金を払ってこそ、「誠実」「約束を守る」と感じてもらえるわけです。万が一、支払い期日に払えない状況になりそうな時、隠し立てせず事前に情報を伝えるからこそ、「ウソをつかない」人と、相手から信用されるのです。ですから、ビジネス上での人間関係の基本は「金払い」につきます。

お金は人間の欲望がストレートに反映される部分だけに、常にお金に対してキレイでいることがビジネスでの人間関係に一番求められるのです。

42
お客様からの入金…。あなたは必ず、お礼のひと言をお伝えしていますか？

嘆かわしいことに、大切な入金に、お礼ひとつ言わないような無頓着な営業マンが増えています。これはオンライン決済が普及したことが要因だと、私は考えます。ひと昔前は営業マン自身が売掛金の回収に出向くのが普通で、みなが入金の重要性を理解していたし、先方の懐具合もつかむことができたのです。

ところが、オンライン決済が当たり前になったことや組織の効率化によって販売と売掛金の回収の担当が別という会社が増えたせいで、「仕事は入金の約束を取りつけるまで」と考える営業マンが激増しています。

そうなると、回収のことを考えずに、売り上げの数字を多くすることに力を入れるようになってしまうのです。多少支払いが遅れても、数字を上げれば成績が上がる、という錯覚に陥ってしまいがちになるのです。
「売り上げというものは現金化して初めて売り上げになる」というビジネスの大原則を忘れてはなりません。

3章
「あなたしかいない！」と思わせる

by OYATTO NOTE

43

できない理由は
いくらでも思いつく。
上司のほうも織り込み済み。
だからこそ、無理を承知で
引き受ける人材を
頼もしく思う!

どんな人が評価されるか？　それを考えた時、結局のところ「不器用でもきちんと働く人」が勝ち残っているなぁと実感します。上司にとって一番聞きたくないのは「できない言い訳」です。小利口な部下ほど、このできない言い訳が多い。

しかし本来は、簡単にできないことをやるのが仕事なのではないでしょうか？　だからこそ、給料をもらえるのではないですか。上司にとってみれば、このような言い訳は「やる気がありません」という言葉と同義なのです。そしてそこには「あいつはオレの仕事を断った」というマイナスの事実しか残りません。

また、言い訳する部下が評価されないのは概して「これだけやって給料はこの程度なのか。だったらやる価値はない」と心の中で勝手に線引きをしている点。ここも上司が部下を許せない部分でもあります。

44
個人の成績と出世の関係。会社側の思惑は？

営業成績はトップクラス。上司や得意先にもバツグンの評判――。そんな優秀な人がなぜか出世において同期に抜かれてしまう、ということが会社組織のなかでは多々あります。

このタイプの人は「売るのは上手だけれど、仕事の全体像が見えていない」と経営者から見られているのです。

もし、あなたがそんなタイプの人なら、私は「人、モノ、お金の流れを意識して仕事をしてみなさい」とアドバイスします。

自分の部署で誰がどんな仕事を担当しているかを把握し、その理由を考える。自分が売る商品がどんな経路で消費者に届くのか、自分の売り上げのうち利益はいくらになるのか……、普段からこれらを意識して仕事をするだけで、会社組織という全体像が見えてくるのです。そして、全体像が見える人がリーダーの座につくのです。

１対１の局地戦に強いだけでは、単なる「剣豪」どまり。戦いの全体を見渡すことができ、剣豪たちを動かして、初めて「武将」になれるのです。

45

バッグンの実績がリストラの免罪符になるほど会社は甘くない！

「ちゃんと実績を上げている人は、リストラとは無縁です」とは、私は断言できません。確かに崖っぷちの企業が行なう整理解雇というリストラでは、まず明らかに実績や能力が劣っている社員がターゲットになります。しかし、本当にダメな社員というのは、ほんのひと握りしか存在しないのです。ですからある程度の人数をリストラしなくてはいけない場合、実績や能力が平均レベルに達している人材でも、決して安心はできないのです。

　普段から遅刻が多い、上司に反抗的、女子社員にセクハラをする、ギャンブル好き……、たとえ実績を上げていても人間性に問題がある場合は要注意。コンプライアンスが叫ばれるなか、企業は成果より数字に表れない人間性を重視し始めているのです。

　さらに、私個人はモラルの低い人はいつか信用を失い、数字にも見放されると考えています。成果に安住し、傲慢に振る舞う愚をあなたは避けてください。

46
仕事力をつける
5つの心得

1. どのような課題にも、
   必ず解決策があると信じる。
2. 24時間、考えることを習慣化する。
3. 解決策を常に論理的に考える。
4. 仕事術を身につけたプロになる。
5. 1週間に1日、完全にリラックス
   する日を持つ。

……これは私が40年間、仕事人として、
通し続けてきたポリシー。

47

最低限のプレゼン力を身につけていない人が多い

私が見てきた業績が上がらない会社の多くは、不思議と上下や部署間での意思疎通が甘いのです。会議などでもセクション内でしか通用しない言語で、おのおのが勝手に主張するだけなので、議題も平行線のまま。だから、赤字を解消しようにも、問題点が明確にならず、少しも前に進まないといったケースがままあるのです。

その原因は、個人個人のプレゼンテーション能力が低いことです。例えば工場の主任が「この機械を導入すれば現場の負担が軽くなります」と言っても、上司はイエスと言いません。「この非常時にラクをしようと言うのか！」と受け取るのが関の山でしょう。しかしプレゼン力が身についた主任なら、「この機械を使えば１日２時間の短縮ができ、人件費１人分のコスト削減になります」と、上司の立場に立った説明ができるのです。

コツは簡単！　上司に対しては会社や部署単位の数字で、部下に対しては個人の数字や実績をもとに説得すると、メリットが格段に伝わりやすくなります。

48

平均点が取れたといって
安心しはじめたら
後退の始まりだ。
「差別化」こそ
ライバルに打ち勝つ
キーワード！

私が企業の建て直しのときに躍起になることは、ライバル会社との差別化です。商品開発をする場合は、その商品に平均点は求めません。むしろ欠点もあるが、何か決定的に差別化できている商品を開発するように命じます。市場で生き残るのは、必ず後者の商品だからです。

人も同じです。無難な平均点社員より、欠点はあってもひとつ得意技がある社員のほうが生き残るチャンスが多いのです。

専門や得意技があれば「あ、あの仕事はあいつに任せておけば安心だ」と積極的な気持ちで抜擢しますが、平均点の社員に同じ仕事を任せる場合は「まぁ、あいつでも何とかできるだろう」と、かなり後ろ向きな気分を感じてしまいます。

商品でも人でも、労力やコストは、平均点を全体的に引き上げるためより、他が決して真似できないレベルまで差別化を進めるために使うべきなのです。

49
ライバルの計画・実行がブレたときこそ王道を歩け！

ニコン・エシロールの建て直しをしていたときのことです。眼鏡業界では極端な値引き合戦が始まりました。特に業界1位のA社がこの競争に参入し、値引きを始めたという情報に、重役以下社員全員が青い顔をしていました。しかし、そのとき私は内心、「しめた！」と思っていたのです。

社員たちの反対を押し切り、私はあえて高付加価値、高価格の商品を市場に投入したところ、その商品は大ヒットし業績を一気に回復させました。他社も含めて周囲の目は、私の奇策が当たったと見たことでしょう。

しかし、実は私は商売の王道を歩んだだけなのです。高価格商品は利益率が高く、安価な商品と同じ売り上げでも利益が大きい。この原則を忘れ、安売り合戦をすることのほうこそ、私から見れば奇策なのです。

50

何が何でも一番を目指す！これこそ、ラクして生きる最大の鉄則！

先日、ちょっと変わった表現の、自動車のＣＭを観ました。「○○はＮ社の車のなかで、ナンバーワンのシェア～」というような表現だったと思います。よく考えてみれば別に世界で一番売れているわけではなく、Ｎ社内部で一番売れているだけなのです。

しかしこれはマーケティングを専門とする私には笑えない話でした。それほどシェアナンバーワンの称号は、商売をラクにするということを、骨身にしみて感じているからです。

というのもシェア１位の企業と２位の企業では認知度に圧倒的な差が生じるからです。この認知度の差はブランド力の差になり、営業の難易度から社員のモチベーションにまで大きな影響を与えるのです。

ですから、M&Aで下位企業を吸収して、業界１位を目指したり、大損覚悟の安売り攻勢でライバルの顧客を奪ったりといった、大胆なことも平気でやる。それだけの価値がシェア１位という称号にはあるのです。

51

悪い話は、必ず解決プランを用意してから話せ！

上の言葉は、新人社員の行動を見て思いつき、『おやっとノート』に書いた言葉です。

社会人も３年を過ぎると仕事も覚えてきて、上司からもある程度、計算されるようになります。当然トラブルに対しても自分が対処できる範囲なら処理できるようになっています。しかし、手に余るような大きなトラブルは当然上司に報告し、判断を仰がなくてはなりません。そのような状況のとき、ただ事象だけを報告してきたその社員を担当課長が大声で叱ったので、よく覚えているのです。

例えば、「○○社が倒産した」という情報が入ったとします。このとき単に上司に倒産の事実を報告するだけではいけません。「午後の便で商品を搬入する予定があります。すぐにストップさせて△△さんに状況を見てきてもらいましょうか？」などと、自分なりの解決プランを提示すべきなのです。

52
生き残りの方法は動物たちが知っている

マーケティングが専門の私が感心するのは動物たちの生き方と暮らし方。彼らはまさに、この分野の達人です。

例えば、動物が敵から身を守って生き延びるための行動には主に４つのパターンがあります。１つ目は積極的に敵を出し抜く方法。素早く走り去ったり、イカのように墨を吐いたりすること。２つ目は貝やエビのように硬い殻を持って攻撃から身を守る方法。３つ目は再生力を持つという方法。敵に身体の一部を食われても、ヒトデや多くのエビ、カニなどは再生し、生き延びるそうです。最後は捕食者が生息しないところに生息するという方法。岩に穴をあけて中に棲んだり、他の生き物が来ないような深海で暮らしたりするわけです。

これらは、競争相手からいかに会社を守るか、といった考え方にソックリです。敵に対抗する長所を持つか、いま持つパイを堅持するか、身を刻まれてもガマンしてゆっくり再生するか、それとも相手が進出してこないニッチな市場を開拓するか……。そしてその方法は、あなた自身のサバイバルにも応用できるのです。

53

実力に自信がなければ昆虫のマネをしよう!

動物と同様に、昆虫の世界にも面白い生き物がいます。トラフカミキリという昆虫は、なんとあの恐ろしいスズメバチそっくりの色彩だとか。しかも、歩き方まで似ているらしい。これは毒を持っていたり、味の悪い動物に似ることで、捕食者たちからの攻撃を逃れるケースで、専門的には「ベーツ型擬態」というのだそうです。

あなたが会社のなかで生き残ろうと思ったら、まずこのベーツ型擬態を試してみることをお勧めします。仕事ぶりが優秀で、誰からも一目置かれる先輩の行動をコピーしてみるのです。私も十條キンバリーの新人時代、社内で評判のKさんの行動をマネたものでした。モデルにする先輩のマネをすると、不思議なことに、どういう発想のもとで正しい行動に出るかが読めるのです。「学ぶ」という言葉は「まねる」が変化して生まれたといいますが、まさにそのことを実感しました。

昆虫はいくらスズメバチのマネをしても毒針という武器を手に入れることはできませんが、人間はそのモデルの、思考という武器を手に入れられるのです。

54

環境に合わせて変化する柔軟性を持て！

カメという生き物は産卵後の20～40日間、その過ごす巣の温度で性別が決まるそうです。ウミガメの場合、27度以下ならオス、30度以上ならメスなのだとか。人間も環境に合わせて変化する柔軟性が必要です。

ですが、誤解しないでください。周囲がぬるま湯なら、あなたも一緒になってダラダラと仕事をしていればいい、ということではありません。むしろ、いまの職場に足りないものを俯瞰的に捉えて、その穴を埋めるような役割を積極的に担いなさいということです。

そのためには上司だったらどう考えるか？　社長だったらどう思うのか？　と、常に上からの眼で部署の全体像を見るように心がけるクセをつけるべきです。この「訓練」こそ、実は生き抜くのための重要な鍵。「目の前の仕事をこなしていけば、そのうち出世できる」という時代は終わりました。キャリアアップしていく人は今後、「昇進してもすぐその業務をこなせる」人材ばかりになっていくのです。

55

組織のなかで生き残るために大切な「自分の存在価値」

『40歳からの仕事術』などの著書で知られる山本真司さんの言葉に「実力派・天の邪鬼になれ！」というものがあります。組織のなかでの生き残りを考えた時、これはなるほどな、と思わせる言葉です。

競争に勝ち残る一番の早道は、唯一無二の存在になることです。私は何もできない新人の時、自分にできる仕事は何かと考え、朝は必ず一番に出社して、社内の電気を点けて回りました。そんなことをする新人は他に誰もいなかったので、それだけで差別化になったのです。自分が好きな分野を極めることは簡単ですが、競合相手が多いと見向きもされません。だからこそ、誰もが手を出さない分野に手を染めることがマーケティングの観点からも勝ちパターンなのです。

例えば、営業マンなのに簿記の資格を持っているとか、開発部員なのに茶道にくわしいなど。ちょっと本筋から外れた能力を手に入れておくと、「あいつは、ひと味違う」と目に留まる存在になるのです。

56

名前で呼ばれているか会社名で呼ばれているか。そこに「人脈」と「社脈」との差が表れる！

取引先に行って「△△商事様ですね」と言われるのは個人のブランド力を築けていない証拠。優秀な社員は「△△商事の○○さんなら信用できる」というふうに、必ず名前で呼ばれます。

相手に会社という看板抜きで自分を印象づけるためには、得意技が必要です。数字に強くてその場で見積もりが出せることや、早朝でも夜中でも快く対応できること、あるいはビジネスではなくて、コンサートのチケットなどを調達するのがうまい人でもかまわないのです。

極論すれば相手に「便利なヤツ」と思ってもらうのが第一歩なのです。私が社会人になって最初にしたことは電話番号を200件覚えることでした。出前のそば屋から大事な取引先まで全部覚えると、上司は「便利なヤツだ」と大事な接待などにも同席させてくれ、同期より先にいろいろと勉強できました。

57
クレームがなぜ、ビジネスを1ランク上に変えるチャンスなのか？

ある新規開店した飲食店での出来事。私と同席した人の注文したコース料理が、厨房の都合でなかなか出てきません。私の料理が出てくるタイミングと合わずにイライラしていた彼は「ちょっとダンドリ、悪いんじゃないの？」とクレームをつけました。

すると店長が飛んできて「ありがとうございます」と言うのです。「お叱りいただいてお客様のお気持ちに気がつきました。工夫する知恵をいただき、これを励みにいたします」と店長は、深々と頭を下げてくれたのです。

クレームは、単なる面倒くさい言いがかりとしか思っていない人がほとんどです。しかし実際は改善ポイントを指摘するお客様の声でもあるのです。例の飲食店は、お客様の声をきちんとフィードバックしているせいか、この頃は大盛況で、予約をしておかなくては入れないようになりました。叱られても「ありがとうございます」と感じるハート、あなたは持っていますか？

4章
一流になれる人はここが違う

by OYATTO NOTE

58

動物的カンがないリーダーは信用するな!

　自動車会社が軒並み大きく収益を減らしている現在、ホンダと並んでスズキは黒字だとか。これは国内の他の自動車各社に先駆けて「減産」し、在庫を減らしたのが大きな要因だったそうです。各社が世界的不況に気づいたときにはすでに、減産を始めていたというのですから驚きです。私も新聞に載ったスズキの鈴木修会長兼社長の記事をスクラップしていますが、そこには「勘ピュータが当たっただけよ」という言葉が。

　私はそんな動物的カンを備えていることこそ、良いリーダーの条件だと考えています。それはカンというのはあらゆる情報をインプットして、初めてパッとひらめくものだからです。それが証拠にカンが働かない人というのはあまり趣味もなく、遊びもせず、与えられた仕事をこなしているだけのタイプに多いからです。

　論理を超えた道筋がふと見えるくらい積極的に身の回りの出来事を肌で感じる、そんなポジティブな生活態度こそがカンの働きを鋭くするのです。

59

できる銀座のホステスのねだり方こそ、依頼の見本

お客様のハートをつかむのが上手な銀座のホステスと成績の上がらないホステスの差は「営業の電話をかける時間帯にある」という話を聞いたことがあります。

できないホステスほど、相手が忙しい午後の時間帯にかけるのだそうです。昼夜が逆転したホステスにとって、出勤前の時間に営業の電話をかけるのは具合がいい。しかし、自分の都合のいいタイミングで頼み事をしても、相手には「この忙しい時間に」とネガティブな感情しか与えないので逆効果なのだとか。

反対に、できるホステスは少し早起きをして、昼休みに電話をかけるのだそう。「よし、今日の午後は頑張って飲みに繰り出すか」と仕事のモチベーションも上がるのですから、その差は歴然です。

Ｅメールが普及したせいか、はたまた核家族化が進んだせいか、相手の都合を考えずに最悪のタイミングで頼み事をする人が、年々増えてきたという実感があります。

「どうも上司が自分のために動いてくれない」と思っている人は、まずタイミングを考えてみては。

60

自社製品を売ろうとしない トップ営業マン。驚くべき彼の手法とは？

「営業トークとは自社製品を売り込むこと」と考えている営業マンが多いなかで、その概念を覆したトップ営業マンが、以前勤めていた外資系企業にいました。彼の営業に同行して驚いたのは、彼は相手の営業戦略をサポートする情報を与えるだけで、自社製品の売り込みを一切しなかったことです。

そこで私が「まず利益を提供して恩を売り、いざという時に回収するわけですね？」と彼に質問すると、「情報提供も自社製品を買ってもらうのも、結局はお客様の会社を成長させること。今日は先方の営業戦略に役立つ情報があったからその話をしただけだ。同じ方向を歩いていれば、自社製品がお客様の利益につながるような時は必ず買ってくれる」と言うのです。

何かと見返りを求めるのではなく、相手の目標が達成されるまでの手助けをして、自分自身も成長する。そんな関係が大きな信頼を生むのです。

61

押し問答は最後まで押し切ろう！

あまりテレビは観ないほうなのですが、コメディアンの上島竜兵さんの芸を観て思わず笑ってしまいました。テレビでは、誰が熱湯の風呂に入るかでモメていて、上島さんが「じゃあオレが入る」と言うと、周りの芸人たちが「イヤイヤ私が入りますよ」と口々に言います。改めて上島さんが「そうはいかない、オレが入る」と言うと、私が入りますと言っていた芸人たち全員が口を揃えて「どうぞどうぞ！」と言って結局、上島さんが熱湯風呂に入るハメになるお約束のパターン。

ビジネスの１シーンでも、このようなケースはよくあります。例えば接待を受けて、お返しのつもりで入ったお店の支払い。こんなとき、気持ちとは裏ハラに、すぐに「ではスミマセンごちそうになります」では、「あの人は元から２軒目は出させるつもりで誘ったな」と思われてしまいます。実はこういう些細なことの積み重ねが「あの人は信用がおけない」という印象につながります。お礼の心づもりがあるなら、かたくなに自分が支払う、そんな泥くさい気持ちの伝え方が信頼を得ます。

62

すぐに独立できる人こそ、会社にとっては独立しないで欲しい人

私が赤字会社の社長に就任すると、必ず入れ違いに辞めていこうとする人がいます。彼らのなかには非常に優秀で能力が高い人がいます。というのも、会社が危なくても辞めない人は会社に給料をもらいに来ているだけの人が多く、危ないとなるとサッサと辞めようとする人は、いざという時に辞めても大丈夫なようにスキルを磨いて準備している存在だからです。

要は独立しようというくらいの高いモチベーションで仕事に臨んでいる人、そんな目標を持った人はスキルの吸収力が高く、貴重な存在なのです。

しかし、そのような有能な存在でも、私は「頼むから残ってくれ」というようなことは申しませんし、待遇アップを餌に会社に縛りつけようともしません。どんな優秀な人でも代わりはいる、と周りに思わせなければ、先々残る社員のモチベーションが下がるからです。優秀でも同じ目標を共有できない限り、会社の利益にはならないのです。

63

誰だって成功したい。だからこそ成功のためにどれだけ準備するかが大事

例えば昇進のための社内試験に挑戦するといったとき、ほとんどの人はこっそり心に決めて、周囲に漏らさずに事を進めることが多いようです。これは、「もし失敗したら恥ずかしい」という心理からなのでしょう。しかし、初めから失敗を前提とするような計画を立てても、うまくいくはずがありません。

むしろ「オレは必ず合格する！」と宣言したほうが合格への準備もやる気も高まるはずです。第一に宣言した以上、合格をつかみ取らないと大恥をかくわけですから、その合格の可能性を高めるために人は貪欲になる。面倒くさいと感じる準備も怠りなくする。

また、宣言すると、足を引っ張ろうとする人が出てくる半面、不思議と応援してくれる人も出てくるもの。これは真の社内人脈を得る機会でもあるのです。そして何より宣言によって火事場の馬鹿力が発揮されます。普段以上のパワーを発揮したその経験は、ビジネスでの修羅場にも必ず活かされてくるでしょう。

64

お先真っ暗のこのご時世、生き残りの戦略はSKSSにある！

何度申し上げても足りないくらい、これから10年間は冬の時代を迎えます。正直言って多くの企業が、この醜い「喰い合い」を勝ち抜かなくてはなりません。そのために必要な戦略は、ＳＫＳＳです。

これは差別化戦略、価格戦略、集中化戦略、隙間戦略の頭文字です。これら４つの戦略のうち、どれか１つでも成功すれば企業は生き残る可能性を持てます。

これは個人レベルでも同様で、人と違う長所を持つ人、コストパフォーマンスが高い人、専門分野を持つスペシャリスト、他人がしない仕事ができる人……と言い換えることができ、これらのうち１つも当てはまらないような人でしたら、かなり危険です。

ビジネスマンの場合は正直な話、１つだけではこのご時世、安心できません。この４つすべてを身につけるくらいの覚悟を持って日々の仕事に当たるべきです。

65

一芸に秀でた人は不思議と、どんな荒波も泳ぎきってしまう!

企業再生のプロとして多くの会社の浮き沈みを見てきた私が、「この人は、本当にしぶとく生き残っているな」と不思議に思うのは、みな一芸に秀でた人たちです。といっても仕事ではありません。例えばゴルフのうまい営業部長。シングル級で会社を辞めさせられた人は不思議と見ていません。「あんなにゴルフに夢中になって」とはたから見ていて思うことですが、なぜか仕事では結果を出して、ちゃんとセーフティゾーンに残っているのです。

これには2つ、理由があると思います。仕事であれ遊びであれ、ある程度以上のレベルになろうとしたとき、「勘どころ」をつかむ能力が必要とされる点。要点をつかむのがうまいので、仕事もそこそこうまくやれているわけです。それから利害がないつき合いが、強固な人脈を生む点も見逃せません。凡人から見るとうらやましい限りですが、これも能力。このタイプが部下についたら、上手に使うことです。

66

1流と1.5流の差はアレンジメント能力の差

優れた経営者やリーダーは物事を何でも、自分のフィルターに通し、それを応用して、自分独自の理論に仕上げてしまう能力を持っています。どういう意味かというと、いろいろな情報をインプットして、それをグシャグシャに混ぜて、最終的には自分独自の理論にしてしまうということです。

ブランドもののコピー商品は違法ですが、能力のある人は最終的に本物のように仕上げてしまう。オリジナルよりも優れたものを作ってしまいます。

これは本物のいいところはどこか、その本質というか、そのエッセンスは何かを見分ける能力がきわめて高いからだと思います。

そして、それを自分ができる範囲で効率的に並べ替える、つまりアレンジメントする能力で、本物同然にしてしまうのです。

67

上に政策あり 下に対策あり

「このリーダーはダメだ」と感じた時、この言葉を思い出してください。まさにビジネスマンが生き残る知恵を端的に言い表した言葉で、これは処世術です。

もともと、この言葉は中国の言い回し。施政者がころころ変わるかの国では、上の打ち出す政策が変わっても正面切って反発せずに、上手にごまかしながら自分たちのやり方を押し通すことなのだそうです。

会社という組織のなかで生きていると、時に無能な上司のいい加減な命令に悩むシーンが出てきます。そしてそんな上司の巻き添えを食って、負け組に転落してしまった有能な社員を数しれず見てきました。

ですから、上司が明らかに間違った方針を打ち出したときは、この言葉を思い出して無用な対立は避けて欲しいのです。表面では従うフリをして、きちんと自分のやり方で結果を出すことを考えてください。注意する点は必ず結果を出すということ。もし結果を残せなければ、上司に反抗したという事実しか残りません。

68

お客様は神様……。でも、時と場合によっては部下をかばって欲しい

量販店を担当している営業部員が、激昂して帰社してきたことがあります。聞いてみると取引先が契約をたてに、彼に店の販売員のようなことをさせているのだとか。

こんな時あなたが上司だったらどうしますか？ 「お客様は神様！ 理不尽だと思っても会社のためにガマンしてくれ」と諭すようならリーダー失格です。たとえ大事なお客様でも、取引先の労働力として扱われるいわれはありません。きちんと取引先に異議を申し立て、部下を守ってこそのリーダーです。

実は実際、このようなケースに遭遇し、２回ほど取引をやめたケースがあります。「うちの会社はお客様と同じくらい社員を大事に考えております。ご理解いただけなければ、おつき合いしていただかなくてけっこうです」と。果たして、売り上げは落ちたでしょうか？ いいえ、社員たちは誇りを持って働いてくれて、業績回復の大きな力となったのです。

69

部下を叱ったら必ずその倍、ほめる！

ミスをした部下はきちんと叱るべきです。私は「長谷川さんに叱られたときはホントに命が縮むくらい怖かった」と言われるくらい、感情むき出しで叱ります。

叱られれば当然、部下は傷つきます。自信もなくすでしょう。だからこそ私は思い切り叱ったら、その倍の時間と労力をかけてほめました。相手が傷つけば、その傷を癒すのも叱った者の義務だと思うからです。

では具体的にどうするか？　私はミスをした経緯を辿っていくことにしています。ミスが顕在化する原因は１つか２つの小さな失敗であるケースがほとんどです。ですから、ミスの原因はここだと指摘し、叱ったあとはそれ以外のミスに直接関係ない部分をほめるのです。「あの部分は君の明確な失敗だが、ミスのあとのフォローは迅速だったので、被害は少なくて済んだし、お客様にもご理解いただけた。これからも期待しているから、この調子で頼むよ」といったように。このように評価してあげることが、ひとつの失敗をモチベーションに変えるキッカケにもなるのです。

70

魚をほしがっている人に魚の取り方を編み出させるのがコーチング

コーチングという言葉が、ここ10年ほどの間に日本でも一般的になってきました。ではコーチングとティーチングの差は何でしょうか？　ティーチングは教える側が答えを持ち、解答を示しますが、コーチングは教えられる者が答えに至る道を考え、解決策を模索し、答えを導きだす手助けをするものだと思います。

つまり、コーチングを施すということは、大胆な、革命的な解決策を期待するということでもあるのです。このことが年々、なぜ組織で重要視されてきたかは自明の理です。刻々と激変する状況に求められるのは、教えられたことをきちんと守ることより、自分の頭で考えて臨機応変に行動することだからです。ルーティンワークはコンピュータに任せておけばいいという現代社会。差がつくのは状況に応じた行動が取れる人間であるかどうかです。魚が欲しければ取り方を教えればよい時代は終わりました。魚が少なくなれば、人を出し抜いてでも魚を取る方法を編み出す人が生き抜くのです。

71

アマチュアは問題を複雑にし
プロは問題をシンプルにする

日産の再建に尽力したゴーン氏の言葉です。コストカットをうたい文句にリストラを推し進めた彼らしい言葉ですが、真理だとも思います。

シンプルにした問題点というのは、何よりも現場の混乱が少ないのです。これがどういうメリットをもたらすかというと、個人個人の決断が速くなるということです。「経費削減！」とひと言で強く言われたら、むやみにタクシーなどには乗らないで、自分たちで次善の策を考えてくれるわけです。

一方、アマチュアの上司はこういうケースで「３キロ以内はタクシーを使わず、１時間に電車が２回しか来ない場合は使ってもよい」というふうに、問題を変に複雑化するので、何が重要なのかがぼやけてしまう。これではリーダーとしての発言の意味がなくなります。

72

リーダーに欠かせない資質、それは重要なことを分かりやすく伝える能力

富士ゼロックスの小林陽太郎・元相談役最高顧問は、「ビジネスを成功させるために必要なのは、ＡＢＣＤＥだ！」と言ったそうです。

ＡはAspire。志のことです。ＢはBelieve。成功を信じる心。ＣはCommit。具体的に計画を立て、準備をする。ＤはDo。実行すること。そして、ＥはEnjoy。何事も楽しんでやらなければ成功しません。

簡明な表現で、覚えやすいため、社内だけでなく社外にも受け入れられました。実は、人に伝わる言葉というのは、みなさんが思う以上に経営がラクになる要素であるのです。例えばこのＡＢＣＤＥが全社的に浸透したことで、プロジェクトの進行がスムースになったことは確実でしょう。なにしろ何かを立ち上げようとしたらこの５つに照らして考える。それだけで稚拙な企画書が激減したはずです。だからこそ、言葉ひとつで社内の雰囲気を変えてしまうくらいの言語能力を、リーダーは持ち備えていなくてはならないのです。

73

あなたが真のリーダーになりたければこんな行動を実践しなさい

部でも課でも係でも、組織のリーダーという立場になった時、真っ先に考えて欲しいのは次の２つです。会社が生き抜いていくために社内外の変化を敏感に察知して、状況に応じて「会社の力」を駆使すること。そして会社を取り巻く環境の変化に勝ち抜くために組織力を磨き、強化することです。そのためにあなたがまず心がけなくてはいけないのが次の４つの行動です。

①いいこととは気づいているが、自分がそれをやっていないことに気づこう

②過去のしがらみを捨てる勇気を持とう

③組織の壁、垣根を取り払おう

④縦割りの責任のなすり合いをなくそう

激変する現代において、組織は臨機応変に状況の変化に対応できなくてはなりません。これら４つのことはすべて、部下という立場のときは望んでいたのに、いざ上の立場になるとなかなか実行できないことでもあります。

74

赤字のときはまず この会社にとって 一番いいことは何かを考える

私が再生会社に入りますと、既存のいろいろな取引先がたくさんやってきます。で、自分の味方につけようとか、うまい汁を吸おうかというような思惑を胸に、私に接近してきます。そのとき私が使うスケール（ものさし）はひとつしかありません。それが上の言葉。

つまり問題を抱えた会社というのは、わけの分からない社内外の既得権益でがんじがらめになっている場合が多いのですが、それらをバッサリ切り捨てていくためには、確固たる信念を持たなくてはなりません。

会社の内部は私の政敵だらけ。それでも「この会社にとって一番いいことは何なのか」という観点でのみ行動していくと、どんな政敵も「このやり方は文句のつけようがない」と白旗をあげてきます。というのも、会社のためになると判断すれば少々問題のある取引先でも、私は切らずにつき合います。決して恣意的な振る舞いはしません。ブレない判断基準こそ、敵も味方も結びつける武器となるからです。

75

自分で売り上げを作れる経営幹部を目指せ！

かつての日本企業は、幅広い知識を身につけたゼネラリストを幹部候補生として育てることに熱心でした。しかしバブル後になると利益を生まない調整役のゼネラリストはお荷物となり、リストラの対象に。代わって、即利益を生み出すスペシャリストが脚光を浴び始めたのです。マスコミもこぞって「これからはスペシャリストの時代！」と煽り立てました。

しかし、国際不況の大波を浴びた今はどうでしょう？結局、あれだけもてはやされたスペシャリストも全社的な視野からマネジメントできる人材が少なかったために、すっかり下火となりました。

生き残りをかけるなら結局はスペシャリストの専門知識とゼネラリストのマネジメント能力を同時に身につけなくてはならないのです。将来、経営幹部にまで上りつめたいなら、特に営業部門かマーケティング部門を専門以外に学ぶこと。なぜなら、いざとなれば自分で売り上げを作れる経営幹部こそが、会社にとってはありがたい存在だからです。

76
プロジェクトを成功させたい人は村おこしの法則に学べ！

赤字会社の再生が成功する要因は、不思議なことに「町おこし・村おこし」のケースとソックリなのです。

村おこしが成功する鍵は、「若い世代」「イベントにのめり込む人」「よその地域の人」の三者が揃うことなのです。つまり、先入観がない人、成功させようという熱意がある人、客観的な目で進行状況を眺める人が必要なわけです。

これを企業に置き換えると「成功へのロードマップを素直に受け入れる人材」「成功を信じて改革を推し進める人材」「セクションを離れてプロジェクトを俯瞰し、会社の持つ力を十二分に利用できる人材」なのです。

これは企業再生だけでなく新規のプロジェクトなどの場合にも当てはまります。私は何か企画が立ち上がると、この３者をキーパーソンとした布陣を考えたものでした。そして、会社にとってマイナスな発言を続ける社員は遠慮なく切り捨て、遠ざけました。実際に、それが成功への近道だったからです。

77

自分の部下を見て たるんでいると感じたら 自分がたるんでいる証拠!

2000社余の赤字企業を再建する過程で、とても面白い法則に気づくことがありました。例えば社長がだらしない会社はナンバー2、ナンバー3も決まってだらしない。ところがトップが交代すると、不思議と生き生きと働きだす。どうも役員クラスがダメというケースは、本人の問題より、その上にいる社長の影響のようです。

そういう観点から部署やチームを見ていて、あることに気づきました。リーダーが手抜きをするセクションは、部下たちも無意識のうちに手抜きをするようになるのです。ですから、もしあなたの部下がたるんでいると感じた時、頭ごなしに叱るのは絶対に禁物。当の部下たちは上司を見て、「自分のことは棚に上げて、よく言うよ」と内心思っているかもしれません。相手の振り見て我が振り直せ、です。自らを戒めましょう。

78

たとえ合法的でもルール違反はするな！「誘惑に負けない強い意志」を持てない人は必ず反則する

「大西マジック」と呼ばれる名采配で有名だった故大西鉄之介・元早稲田大学ラグビー部監督は、栄養ドリンクに頼る選手を決して重用しなかったといいます。その理由は「最後のところで反則を犯してしまうから」なのだとか。ドーピングにもひっかからないような栄養ドリンクでも、それに頼るハートの弱さは、土壇場で必ず安易な行動を引き起こす要因となるのでしょう。そしてその行動は結局、他のメンバーを裏切るということなのです。

ビジネスの世界でも、ルール違反だがこれをやれば確実に儲かる、という禁じ手があります。決算前にノルマ達成のために押し込みで取引先に商品を買わせたり、カラ出張で裏金を作ったりといったことはビジネス世界では黙認されていることかもしれません。しかし、そういう行為を自分に許している人は、いざという時必ず「反則」を犯してしまうのです。

不当表示や欠陥隠しなど、大きな反則を犯した人間に復活のチャンスはありません。日頃から誘惑に負けない強いハートを持つように心がけてください。

79

失敗を恐れて大失敗をするな!

私の『おやっとノート』のなかに、生き残りのためのヒントを端的に示したひと言があります。それは「古い目標が無くなったら、新しい目標を目指さなくてはならない」という、20世紀初頭の南極探検家・シャクルトンの言葉です。同時代のスコットやアムンゼンは有名ですが、このシャクルトンは３回チャレンジして一度も南極大陸を征服したことがない無名の人でした。

しかし船が氷に囲まれて漂流し、絶望的な状況のなか、１年８か月後に隊員が全員無事に帰還。このことが評価されて、彼は有名人になったのです。

社運をかけた一大プロジェクトとはよく聞く言葉ですが、怖いのは企画が進行しだしたらゴールに到達するまで止まらない点。死屍累々の山を築いたあげく、会社は倒産という結果もあります。しかしシャクルトンは探検の続行が困難だと判断すると、すぐに「全員生還する」という新しい目標に切り替えました。仕事での失敗は必ずあります。しかし、失敗を受け入れない心はまた、大失敗を引き起こす原因にもなります。

80

人はコントロールできない。しかし、マネジメントは必ずできる!

人を上手に活かしきることさえできれば、たとえ困難な目標であっても、大抵のことはクリア可能です。しかし、リーダーという立場になった時、つい犯してしまう過ちは、部下たちを力ずくで「コントロールしよう」とすることです。不思議なもので人間は、ただあれをやれ、これをしろと命令されると逆に、気持ちの上でサボろうとする生き物のようです。

社員一人ひとりの力を十二分に活かさなければ会社の再建や成長などは期待できませんから、私は決して彼らを屈服させて制御しようとは考えませんでした。

では何をするのか。それはマネジメントです。具体的には、彼らに毎回必要となる目標設定を頭で理解させ、各自に持ち場を与え、特性を活かし、具体的な成功へのロードマップを示すことなのです。そしてその過程で各自がモチベーションを保ち、それを生かせるような環境をつくること——これこそがマネジメントだと、私は考えるのです。

81

評論家では頭が良くても嫌われる

「周りより能力が劣っているわけでもない。むしろオレのほうが頭はいいのに、なぜか上司に好かれていない」と悩む人は意外に多いようです。

しかし実は、能力さえあれば上司に好かれるということ自体が幻想なのです。といってもこれは上司が部下に嫉妬しているわけでも、扱いにくさを感じているわけでもありません。実は知恵が回る人物ほど、口先だけの評論家になりやすいからなのです。

評論家は自分では決して作品を作らず、美点をほめる……というより欠点をあげつらうのがうまいわけです。こういう部下に仕事を頼むと、「昔からわが社は販売網が弱いので難しいですね」とか「この不況下にその価格じゃ、誰も買いませんよ」などと、決まって、まずはできない言い訳から始まるのです。

しかし、上司の立場からいうと、これは手抜きのための予防線を張っているだけにしか思えません。真に評価されるのは不利な条件でよい結果を出す人。むしろダメ元で仕事にぶつかる部下が大好きなのです。

5章
自分も会社も生き残る

by OYATTO NOTE

82
「任せて任さず」こそが、部下を活かすスタンス

仕事が遅い部下に「何時間かかってるんだ、そんな仕事に！」と怒鳴りつけ、その部下から仕事を取り上げて自分がやり出す。本人は「オレがいなきゃ、やっぱりダメだな」なんて心中、得意気なのかもしれませんが、これは悪い上司の典型です。

第1に、これではいつまでたっても部下のスキルは上がりません。第2に、仕事を奪われた部下はモチベーションが下がりますし、上司に対して悪感情まで持つことでしょう。第3に、部下の仕事を横取りすることで上司自身の仕事も滞ります。結果的にはセクション全体のパフォーマンスを下げていることにしかならないのです。

「任せて任さず」で接するのが部下を扱う極意。部下の仕事を把握し、高所から進捗状況をチェック。手柄は部下にとらせ、失敗は自分がかぶる。そのくらいの態度を示してこそ、初めて部下はついてくるのです。

83

業態の垣根を越えよう！

今世紀に入って、生き残りにかける企業がドラスティックに変化している部分はどこでしょうか？　私は「製造・流通・販売」の垣根がどんどんなくなってきた点だと実感しています。マーケットが拡大していくなかではメーカー、問屋、小売りの三者で分業していくほうが効率的であるし、リスクヘッジにもなっていました。しかし、縮小市場では消費者の多くは「機能」と「価格」にしか判断基準を定めません。いきおい、価格競争が過熱化する。すると、最終売価を下げることを優先して、いままで他社と分業していた部分を省いて、利益を確保することを考え始めます。

この結果、製造業はホームページを充実させて直販を増やす、問屋は自らが小売店のＦＣ展開を図り、小売店のきめの細かい品揃えに対応するための受注システムを作成する、小売店はプライベートブランドを開発するなど、垣根を越えた展開を始めたのです。

これはビジネスマンレベルでも同様です。セクションの垣根を越えた働きができるかどうかが求められ、それが生き残りの分かれ目になる可能性さえあるのです。

84

「最小の投資で
最大の効果」は間違い。
儲けるコツは、
最大の効果を上げるために
必要な最大投資を
行なうこと

104

こうも不景気になると、企業はいかにコストをカットするかの競争になってきます。もちろん収益を確保するためにはコスト削減は必要不可欠。

しかし、コストを削減した結果、売り上げや利益が下がってしまったという企業も珍しくありません。接待を禁止したために大口の取引先を失う、人件費削減のためにリストラしてその分をアルバイトで埋めようとしたら、彼らの能力があまりに低くて現場が混乱したなど、本末転倒のコスト削減は枚挙にいとまがありません。

実は、真にコストパフォーマンスを求めるということは、「最小の投資で最大の利益を得る」では不正解。「最大の利益を得るために、必要な投資を最大限に行なう」というところから考えるべきだと、私は思います。

初めにコスト削減を考えるのではなく、企業がまず考えるべきは「初めに利益ありき」ということ。私は細かいコスト削減も徹底的に行ないましたが、同時に問屋筋の皆様をハワイ旅行にご招待するなど、業界中が驚くような大胆な投資も行なってきたのです。

85

コスト削減アタマではなぜ利益が得られないか？

なぜ「最小の投資で最大の効果」を狙うことがダメなのか、具体的に考えてみましょう。

あなたが営業マンだったとします。コスト削減を第一に考えるなら、いっさい飛び込み営業などせずに、お得意様ばかりをルート営業すればいいわけです。交通費も労力もかからない上、残業も減るので余計なコストは削減できます。ただしラクをした分、当然、営業成績は下がります。

次に「最大の利益を得るために、必要な最大投資を行なう」というスタンスの営業を想定してみましょう。まずルート営業の成績をほとんど落とさずに、時間を作るために何ができるかを考えます。毎日回っていたのを1日おきにする、電話で済むことは電話で済ます、受注システムを簡略化するなどして効率化を進めます。そして空いた時間を新規開拓に充てるのです。

コスト削減という言葉の怖いところは手抜きを誘発する点。「何もしないほうがマシ」という発想は、経営者にとっても社員にとっても命取りになります。

86

倒産の可能性がある会社は決算書を見なくても分かる！

上手な博打打ちと下手な博打打ちの差はどこにあるのか？　それは客の懐具合を見極める能力。１回ですべてを奪いさるのは簡単ですが、早晩、集客の問題が出てきます。下手をすると逃げられて、勝ち金が回収不能になることも。ですから頭のいい博打打ちは相手を生かさず殺さず、より多くの利益を得るのです。

ビジネスも同様。キレイごとだけではやっていけない部分があります。取引先の懐具合を判断して倒産や不渡りを極力、回避しなければなりません。私が発見した倒産の兆候をいくつかお教えしましょう。

まず、経営者がほとんど会社にいない、支払いが現金から手形に変わる、手形のサイトが延びるなどは資金繰りに窮している証拠。社長の名刺に本業以外の肩書きがたくさんついている、社長が外車を複数持っていたり、ビジネス経験の少ない２代目だったりすると放漫経営の可能性が高い。さらにトイレが汚くなる会社も危ない。社員食堂の料理の量が減ってきたというような笑えないケースもありました。

87

コストを削減して収益力を高めるキーワードは「総量規制」と「ゼロベース予算管理」

私が50億円の赤字を抱えていたニコン・エシロールで実行したコスト削減の手法は「総量規制」と「ゼロベース予算管理」です。

「総量規制」は製造費の削減に効果的です。人間は不思議なもので30日間、毎日、昼食は500円と決められるより、１万５千円でやりくりしなさいと言われたほうがラクで、工夫する楽しみを感じます。

項目の量を問わず、総量を上回らないように規制するのがこの「総量規制」。現場の裁量に任せるほうが、お仕着せのメニューを押しつけるよりモチベーションが落ちません。

「ゼロベース予算管理」とはカーター元米大統領が考案した手法で、予算案を前年ベースで考えるのをやめて、１から各部門に予算を割り当てることです。年末の駆け込み工事のような予算確保のためだけのムダ使いが減るだけでなく、必要なものにはきちんと予算を付けるわけですから売り上げに影響を及ぼしません。

ニコン・エシロールではこの２つの方法で製造部門は20%、営業・一般部門で30%のコストを削減しました。

88

これからの経営者は50%のリストラができないとダメ!

ビジネスマンは生き残る50%に入らないとダメ!

私はリストラが大嫌いな経営者です。しかしそんな私でも、これからの時代は50%のリストラができる知恵と決断力を持たない経営者は淘汰されると考えています。いまの時代、私と親しい経営者たちの合言葉は、「背に腹は代えられない」のひと言なのです。

ということは、働くほうは何としてでもその半分の50%に入らなくてはいけない。売り上げが前年対比で半分になった、という会社は数えきれません。3割2割の売り上げ減なんてザラ。経費削減は当然必要なのです。残念なことに経営者の一部は、社員というものは人件費という経費に過ぎないと見ている人も多い。ですから経営側のコストパフォーマンスに見合う働きをしなくては、誰にも安住の場などないのです。

89
仕事がどれだけできるかは使えるフォーマットをどれだけ持っているかだ！

仕事の能率が悪い人や会社を上手に導けない経営者を見ていると、「この人は役に立つフォーマットを持っていないな」と感じることが多々あります。そう、つまり文字通り、書式という意味でのフォーマットさえあれば、スピード感のある仕事術を実践できます。

実は私は有能な人ほど数々の「書式」を持っており、それを上手に使いこなしていると見ています。何かを始めるとき、応用可能な書式さえあれば、仕事の計画書も簡単に書ける。それは仕事を迅速に、そして用意周到に進めるために必須なツールになります。

この重要性に気づいたのは、私がマルチナショナルな世界規模企業に長く勤務していたからです。国をまたいでいろいろな人と仕事をするためには計画を明文化しないと、必ず細かいところで齟齬が出てきます。

もちろんフォーマットは、ただマネをするだけでは意味がなく、自分で作るもの。上手に利用して応用すれば、紙１枚の詳細な計画書なども作れてしまいます。

90

これは実感していること!
相手の目を見て
話せば話すほど、
営業はうまくいかない

人と話す時は目を見て話せ、とよく言われることですが、日本のビジネスシーン、とくに営業に関して私は、この言葉を信じません。実は日本人にとってじっと目を見つめられることは苦痛だからです。下手をすると「あの人と話していると、なぜか疲れる」と、相手にネガティブな印象さえ植えつけかねません。

とはいえ、そっぽを向いていたり、うつむいて話していたら真剣さが足りないとか、自信がなさそうと思われてしまう。ですから、私は基本的に、相手の鼻の下、いわゆる「人中」といわれる部分に視線を合わせ、ポイントポイントで、かすかに目を合わせるくらいにしています。

社内でも基本的にはこのスタンスで通していました。ただし、部下を強く叱るときには眼光鋭く、視線を相手の目に向ける。そして、あとでその部下から「あの時は身が縮まる思いでした」と言われるくらいの迫力を出すことを心がけました。それくらい人間の視線というものは強烈なパワーを秘めていますから、使いどころには細心の注意が必要なのです。

91

決定権者を
見極める能力が
高い人ほど
ラクに仕事を進める

「いいところまでいくのに、なぜか契約に結びつかない」「自分の企画が同僚に劣るとは思えないのに、なぜか却下されてしまう」――そんな悩みを持つ人に一番欠けているのは十中八九、決定権を持つ人を見極め、アプローチする能力です。

昔から私が保険のお世話をしていただいている生保の女性は、コツコツと中小企業を回って契約を取り、成績は常に関東地区では10番以内。そんな彼女の成功の秘訣は、「私は社長に会うまでは絶対に帰らない」ということだそうです。

このように、中小企業の場合は、決裁権を持つ人が社長である場合が多いことでしょう。でも例えばマンションの販売で、ご主人が乗り気なのにどうも上手くいかないというのは決定権が奥様にあるから。それなら奥様を口説く作戦を練ればいい。上記のケースの、営業が下手な社員や企画が通らない社員も、実は口説く相手を間違えていると考えられるのです。

92

将を射んと欲すればまず馬を射よ! では決定権者の馬はどこにいる?

一介のビジネスマンが最終決定者である社長や役員にアピールできる機会はそう多くありません。そんなときには次善の策として、決定権者に影響を持つ人間を探して接触しなくてはなりません。

一番のポイントは組織図です。何も手がかりがない場合は役員の下の部長、それがダメならその下の課長というように直属の部下に当たっていくのが正攻法。ですが、足を使って売り込み先に日参していると、この見えないラインが不思議と見えてきます。例えば何かというと決定権者に呼ばれている人間。あるテーマのときは必ず呼ばれて、意見を聞かれる中堅もしくは若手の社員。これらが影の決定権者なのです。

ですから売り込むものによっては、意外にも決定権者が入社3年目の女子社員、ということさえあるので注意しなくてはなりません。

6章
会社から大切にされる人、されない人

by OYATTO NOTE

93

儲けるための戦略を考えていますか!?

商品を製造するコストが上がれば、道は２つしかありません。より多く売るか、より高く売るか、です。顧客の新規開拓が難しければ、売価に上乗せするしかありません。しかし、それで本当にいいのでしょうか？

味はいいのですが、集客に問題がある私の行きつけの中華料理店がこの前、料理の単価を1000円から1200円に上げました。企業家の目から見ると、ただ値上げしただけでは、顧客にそっぽを向かれる。そこに戦略と言えないまでも、工夫のひとつくらいは欲しいのです。

例えば、同じ料理を盛るにしても非常に高価な皿に盛るとか、目の前で煮えたぎった油をかけて料理を出すとか、お客様に200円、余分に払っても仕方ないと感じさせる演出が必要なのです。

しかし、現実には意外なほどそういう工夫をしないで、店や会社の都合で売価を上げて業績を悪化させるケースが多いのです。つまり、「より多く儲けるためには、それなりのことをしなきゃいかん」ということです。

94

売りたければ逆サイドから考えよう!

新製品の販売促進の時、私はいつも「逆サイド」から考えるようにしています。どういうことかというと、普通なら「売れるピザとは何か？」「みんなが乗りたいクルマとは何か？」ということから考えて商品を作り上げていくのですが、私の場合は「あまりおいしくないピザを売るにはどうしたらいいか？」とか「乗りたくない自動車って、どんなクルマだろう？」というところから考え始めるのです。

実は「売れるもの」というところから発想を演繹させていっても、なかなか具体性を持った答えが出てこないものなのです。例えば先の例なら「おいしいピザを作ればいい」とか「運転しやすいクルマ」といった答えになりがちになる。ところが、「ダメな商品とは何か？」「そして、それを売るにはどうしたらいいか？」ということを考えていくと、商品開発から広告活動までどこがダメなのかがはっきりしてくるわけです。

問題点が明確であればあるほど、しっかりとした対応策を取ることができるのです。

95
売れないのではない！
売ろうとしていないだけだ！

元サッカー日本代表のラモス瑠偉さんが東京ヴェルディの重役時代、自ら低迷するチームのビラ配りをしたら、いつもの３倍ものビラが瞬く間にはけたというニュースを見て、私はある再生会社のことを思い出しました。

その会社の販売店の仕事ぶりを視察したところ、店員も店長も客が来たときにしか仕事をしていないのです。しかも、客もめったに来ないので、働いているのは１日に正味２時間程度。あとは「売れませんね～、店長」と言いながら、客を待っているだけ。

売れないなら電話作戦をしたり、住宅街を回ったりすればいいものを「それは本部の営業の仕事でしょ？」と言う。そこで１日に２時間の戸別訪問でチラシ配布をさせた途端、３割ほど売り上げが上がりました。

売れないなら、売れるように何が何でもやって見せるというハートに欠けているのかもしれません。私が社長なら、ラモスさんのように、重役自ら、なりふり構わずビラ配りするようなリーダーは、部下から見て心強い存在です。

96

知名度と、ブランドは違う

縮小する市場だからこそ営業マンは、独占的に「お客様を増やしたい」と切実に思っていることでしょう。その時に一番重要となるのは「知らないお客様にアプローチせよ！」ということです。

この「知らないお客様」には２つの意味があります。まず、「あなたと面識がないお客様」という意味。もうひとつは「商品やあなたの会社の長所すら知らないお客様」という意味です。

縮んでゆくマーケットで顧客を増やすには、いままで以上に営業にかける件数を多くしなければ話になりません。とにかく知名度を上げる努力が根本に必要になります。アタッシュケースを持って走り回る営業だけでなく、インターネットやメールによる不特定多数のお客様へのアプローチも当然、必要です。

しかし、悲しいことにそれだけでは購買に結びつきません。お客様が買わざるを得ない理由を明示しなくてはなりません。「性能がいい」「デザインがいい」、あるいは「価格が安い」など、何かしらの特長をアピールして初めて「ブランド」となっていくのです。

97
欲得ではなく、お客さんが幸せになるようなことをしなければいけない！

私が再生会社を任された時、決してしなかったのがマネーゲームです。「いい会社とはいいモノを作って上手に売る会社」というのが私の哲学だからです。

実は人間の欲得に乗じて稼ごうと思えば、稼げるものです。100万円を積ませて、年間５、６割返してあとは知らんぷり、といった詐欺まがいの商法はこの世から消えません。ですが、これで儲けて赤字を減らしたところで、再生と言えるでしょうか。私は会社というものは「未来からも監視されている」と思っています。

ですから、鏡を見て『もう少しキレイになりたい』と思っている女性に、こうすればキレイになれるということに気づかせてあげて、その対価としてお金をいただくという考え方で商売を考えていましたし、企業再生もそのようなスタンスで行なってきました。社員の多くが「私はこの会社で働いているんだ！」と自ら胸を張れる会社は本当に強い。そんな会社に生まれ変わらせるのが、私の仕事なのです。

98

「お金と人の心」をうまく計算して、事を運びなさい

商売上手の絶対条件はソロバンができること、すなわち計算ができることです。バランスシート上の数字を見て問題点を明確にすることはもちろん大切。でも、それと同時に人の心や感情をきちんと計算して、より良い結果を出していくことが重要なのです。

例えば、問屋さんへのリベートが本年度は５％出せるとします。では、本年度は５％まるまる渡して問屋さんに大いに喜んでもらうべきなのか？　私はそうは思いません。年に１％ずつ渡して、今後五年間喜んでもらうほうがはるかに効果的だと考えます。

人の心を計算しろというと、人の心を天秤にかけるようで印象が悪いかもしれませんが、そこに知恵が回るかどうかで必ず結果に差が出てくるのです。

自分ひとりがいい思いをせず、みんなが喜ぶ道を探す——それこそが「ソロバン勘定」であり、正しいビジネス道だと私は思うのです。

99
生き残る会社とは社員の家族までもが誇りを持っている会社である

赤字の会社にトップの立場で赴任した時、まず必要なのは、社員たちの誇りを取り戻す作業です。再生してきた会社が1000社を超えると分かることですが、会社をよみがえらせる決め手は一にも二にも「社員のやる気」につきるのです。そして人間は、プライドを持てないことに対して、精魂を込めて打ち込もうとはしません。そこで私は全社員を集めて、こう言います。

「みなさんのお子さんたちが学校へ行って、『うちのお父さん、あそこの会社で働いているんだ』と胸を張って言えるような会社にしましょうよ。それは私ひとりでできることではありません。みなさんがそう思って動かないと、そういう会社にはなりません」と。

これは個人レベルでもまったく同じだと思います。あなた自身、誇りを持って仕事をしているかを常に意識してください。妻子やご両親に見せても恥ずかしくない仕事ぶりか、チェックし続けてください。不思議なもので、それだけで能力が上がるものなのです。

100

横着者では生き残れない。火中の栗を拾う人が残る！

どんな会社にも「本当はデキるけど、力を出し惜しみしている」横着者が存在します。いろんなタイプがいますが、ひとつは火中の栗を拾おうとしない人。目の前に利益が転がっているのにチャレンジしようともしない人です。それから、期日までに仕事をしない人。これは信用を失います。社内だけならまだしも社外でも、この調子ですから、会社としても問題なのです。

会社を再生するときには、このような横着者たちを一瞬で見分けなくてはなりません。なぜなら横着者のメンタリティは伝染するからです。上司が横着者なら、その部下たちも必ず横着者になってしまうのです。

私が横着者を見分けるポイントは、「弱い者に高圧的かどうか？」「強い者には徹底的に下手に出るか？」の２点。上にはゴマをすり、下位の者や能力の劣る者に対して、それこそ非常に高圧的に接します。

もし、あなた自身に思い当たる節があれば、すぐに改めてください。有能な横着者と能力が半分の精勤者を比べた時、経営者は必ず有能な横着者を手放します。

101
一度くらいは体力の限界まで仕事をしてみよう!

私は幼少の頃から剣道、といってもスポーツ化された剣道ではなくて、剣術の訓練を受けてきました。そこでは「かかり稽古」という何人もを相手に、ひとりで立ち向かう稽古がありました。30秒もやっていると心臓がバクバクになって、唇が青くなるくらいの、非常にキツい稽古です。実際、何回気を失ったことか……。

しかし、それを何回も繰り返すことで体力と基礎的な身体能力がつくのです。これは学問でも仕事でも同じだと思います。ぶっ倒れるまで仕事をした経験がある人はつまらないミスをしません。それは基礎がしっかり身についていて「あやふやな部分」がないからです。言葉を換えれば、仕事のフォームがきちんとできているということなのです。

仕事にバラツキが出る人は基礎力が足りない証拠。ゴルフのプロは素振りも実際のショットも同じフォームだといいます。一度体力の限界まで仕事をすることをおすすめします。

102

利益が出せない人は「原点」に立ち返り、自分が間違っていないかチェックしよう

長い計算が必要な数学の問題で、出した答えのつじつまがどうしても合わないことに気づいた経験はありませんか。そんなときはどこで間違ったのかを、さかのぼってチェックするより、１度頭をまっさらにして、一から問題を解き直したほうが早いうえに、正解にもたどり着きやすいものです。

自分がなぜか利益を出せないと感じるビジネスマンにも、私は同じことを言いたいのです。もう１度、原点に立ち返って、「自分が間違っていないか？」「どこで間違ったのか？」を見直してみることが大切です。

その時チェックする最重要項目は、「安く買い、安く作り、高く売る」という利益を得る３つの大原則です。ちゃんとやっているはずなのに利益が上がらないと感じる場合、この３つの大原則のうち、どれかが頭から抜け落ちているケースが多いからです。

103

地獄のような経験がプロの能力を引き出す

私は社会人でいながらMBAを取得した人物を、仕事のプロと認めています。それは決してMBAで得た知識に対しての評価ではありません。MBAには学問的なこともありますが、むしろ体力の限界を試されている部分があるのです。

毎日帰宅後に何冊もの本や資料を読んでレポートを書いたり、グループ単位でディスカッションをしたり。文字通り、分単位のスケジュールを２年間続けなくてはなりません。土日も同じです。そのような生活で身についた精神力や体力、ストレス耐性を持つ人材が、優秀でないわけがないのです。

また、グループワークを通じて知り合った友人は「同じ釜の飯を食った」どころかまさに「同じ地獄を見た」仲間。将来必ず本当の人脈となってくるはずです。

そこまでの限界を味わった人がプロでないわけはありません。知識、胆力、論理的思考、プレゼン能力、土壇場での判断力など、ビジネスマンに必要な能力が備わらない限り、修了しないのがMBAなのですから。

104

名刺を集めて、それが人脈だと勘違いしてはいけない

人脈に対する私の考え方は、世間の方々と百八十度違っているかもしれません。例えば世の中のすべての人が評価している有名人と知り合うのが私にとってのいい人脈、とはまったく思っていないからです。

私の「いい人脈」の定義は、自分の弱さを補ってくれる人だとか、自分の強さを理解して向上させてくれる人です。異業種交流会に出向いて名刺をいくら集めても、その人たちは友人になるわけでも、あなたを助けてくれるわけでもありません。ハッキリ言って自分から人脈を求めたところで、本当の人脈になるとは思えないのです。

では、どうすれば人脈ができるのか？　それは相手が自分の良さを分かってくれた時、人脈の芽が芽生えるのです。私の場合を思い返してみると、自分で言うのもなんですが、私の「バカがつくほどの真面目さ」に相手の方が気づき、それが信頼に変わったことがありました。

名刺交換する時間があったら、自分を磨くほうがはるかに人脈を得る機会が増えると、私は思うのです。

105
人脈を生み出す3つの要素とは？

仕事での人間関係を円滑にする要素は３つです。それはデューデイト＝つまり期日を守ること、レスポンスが早いこと、そして「プラスα」です。

以前私についていた秘書がこの３つの達人でした。会議用の資料集めを頼むと、期日までにきちんと仕上げるのはもちろん、日々状況の変化にも対応した資料を作成してくる。それだけでなく、類例を集めて参考資料まで先回りして作ってくる、といったプラスαを必ずしてくれるのです。

このプラスα、言葉を換れば、相手の心の中を察する能力なのです。命じられたことに素早くきちんと対応するだけでは、単に信頼できるビジネスマンという評価で終わりです。相手の立場に立った行動ができるかどうかが、一歩踏み込んだ人間関係を築くキーになります。

また、その能力は人脈を生み出すだけでなく、仕事を俯瞰的に見るスキルに直結します。割り当てられた仕事を淡々とこなしていくだけでは人脈も広がらず、昇進に必要な能力も磨けないのです。

106

レスポンスとはきちんとした返事をすることではない

レスポンスがいいことは先にも述べた通り、信頼関係を築く上で必須の要素です。それが証拠にレスポンシビリティ（責任）という派生語があるわけです。

しかし、誤ってはならないのは、レスポンスがいいというのは決してレスポンスが正確であるべきだ、ということではないのです。

例えば顧客なり上司なりに「○○社の業績は最近どうなの？」と聞かれたとします。３日かけてきちんと調査して回答したとしても「あいつは責任感があるヤツだ」とはならないのです。むしろすぐに反応して、30分後に「先ほどの件ですが、２、３当たってみたところあまり芳しくないようです」と不確定な情報であっても、速攻で報告したほうが信頼されるのです。

なぜか？　それは質問した人は、自分で判断する手がかりを持たずに困っているからです。困っている人を３日も放っておいては、感謝されるわけはありません。「応答は素早く」が責任感をアピールする秘訣です。

107
時代はデジタルでも考え方はアナログでいい！

最近のテレビを観ていると、懐かしのフォークソング全集や癒しのクラシック全集といったセット通販のＣＭを目にします。これを見るたび、「いくら時代がデジタルになっても、売り方はアナログでいいんだな」と思うのです。いくら音源がデジタルでも、「懐かしの」とか「癒しの」というように、人間の琴線にいかに触れるかという部分でビジネスは決まるからです。

人を動かす上でも、アナログ感覚は重要です。現代は隣の席の同僚に連絡するのにも電子メールを使う世の中になってしまいましたが、会いに行って肉声で、それがムリなら電話で話したほうがはるかにいい。それは当然で、会話なら文章には出ない微妙なニュアンスをつかむことができるし、相手の声の大小や質など、より多くの情報を仕入れることができるからです。

ですから、私はアナログの復権というのは生き残りのための大きな武器だと考えています。労を惜しまずに話した相手は、必ずあなたを、ビジネス相手という記号以上の存在として受け止めてくれるからです。

108
部下の尻を叩くときは必ず同じ目線で!

私と一緒に働いたことのある人は印象に残っているそうですが、私は部下の尻をものすごく叩きます。甘えやサボりは決して許しません。たぶん叩かれた人は、私のことを鬼と思ったことでしょう。

しかし、私が部下の尻を叩く時は、同じ目線で叩くことを自分に課していました。「もっと成績を上げてもらわないと困る」「だったら、どうやるか長谷川さん、見せてください」「見せてやるとも！　ついて来い！！」などというやりとりも、よくしました。同行営業はいわば、同じ目線、同じ土俵での部下と私の闘いです。一緒に営業先に行って仕事を取れなければ私の負け。もし負けたら部下が言うことを聞かなくなるに決まっていますから、真剣勝負です。

部下も真剣ですから、私が使う営業テクニックをしっかり見てマスターします。そして、その手法をマスターし、部下が成功したときに私は、自分のことのように喜ぶのです。

109

「痛みは部下に」「手柄は自分に」こんな態度では誰もついてこない！

ある会社に入って唖然としたことがあります。そこではセールスマンが１日１軒しか回ってなかった……。これでは会社は、うまくいくわけありませんね。

そこで私はひと言、「１日７軒回ってこい！」と。いままでの７倍の仕事をしろと言われて、素直に従う人がいると思いますか？　それを遂行させるには、その仕事をすることの意義と対価を、時間をかけてきちんと説明しなくてはなりません。「そうすればいまの売り上げが何割伸びて、給料だってもっと出せる」とか、「自分の仕事の可能性を試してみればいいじゃないか」と。そして私も一緒に、営業回りをするのです。

そこで商談が始まりますが、私は最後の締めの部分では黙っています。なぜかというと、一緒に職場に帰ったあと、「社長、さっき回った○社から電話があって、仕事をくれましたよ」ということになることが多いからです。そこで私は「すごいじゃない！　君、仕事、取れたじゃない！」とほめるのです。一緒に苦労しても、手柄は部下の手に落ちるようにする。それこそが上司の務めだと、私は思うのです。

110

不況のときこそ上司は部下より苦労せよ!

私は55歳から67歳まで代表取締役社長などを務めたバリラックスやニコン・エシロールという会社で、病欠や遅刻が１回もありませんでした。最後の頃は月の３分の２は海外出張でしたが、出張を終えて成田に着くと、そのままオフィスに直行して仕事をしました。なぜかというと社長自らがそんなタフな仕事ぶりを見せることで、社員たちがそれを意気に感じて一生懸命になれば、それでまた、自分もやらざるを得なくなるからです。

率先垂範というのは言葉では簡単ですが、頭脳だけではなく、体力でも言えることだと思います。リーダーという立場になったら部下の人数分、苦労を背負い込む覚悟がいると考えてください。

逆に部下が機能していないと感じるケースは、あなた自身がラクをしている証拠。まず、自分の仕事のフォームに甘さがないかをチェックしましょう。そして部下が仕事の方向性を見失っていないかどうか、細かく一人ひとりの仕事を自分がするつもりでチェックしていく手間を惜しまないことです。

111

生き残るためには経営理念より具体的な経営目標を！

再生のために中小企業に入ると、そこの社長が「うちの理念は……」と、お題目や建前を振りかざしているケースがあります。しかし、明日の米を稼ぐためにはどうしたらいいかという時に、理念ばかりを語ってもしょうがない、と私は思うのです。

社員たちもこう思っているはずです。「理念なんて生意気なこと言ったって、うちの会社が急に変われるわけがない」「業績がこんなに悪いのに、理念にこだわっていたらヤバいよ」と。この場合、ハッキリ言って社員のロイヤリティは最悪です。そんな状況で理念理念と唱えるのは、大病にかかっているのに「ジョギングをして心身を鍛えよう」と言っているようなもの。

そういうとき経営者は「こうすればうちの会社は健康になるんだ」という手を打つべきです。理念より明確な目標を打ち出して、社員の不安を取り除くのが一番大切な作業。経営哲学は企業にとって必要なものですが、それに振り回されない現実感覚が大事なのです。

112
部下には小さな成功体験を！

近所のコンビニに非常に活気のある店がありました。学生さんのアルバイトが多く、彼らの手作りのポップが商品を飾っていたり、クリスマスやハロウィンの時は大胆に店内を飾り立てたりして、いつ行っても楽しい気分のコンビニだったのです。風の便りですが、業績もその地区一番だったと聞いていました。

ところが、半年前より店長が替わったのか、店員がほとんど外国人になり、ポップや飾りが消えて普通のコンビニになってしまったのです。そして先月、ついにその店はなくなってしまいました。

多少身銭を切っても、前の店長はポップや飾りをアルバイトの学生たちに作らせる。学生たちも文化祭気分で面白半分に作ったポップや飾りをお客様にほめられたり、実際に商品の売り上げが上がったりすることを実感する。その成功体験が、彼らをさらにポジティブな人間にさせていたのです。ですから、このケースと同じように部下にも小さなことでいいから、成功体験をさせてあげることです。それがさらなる自信につながるのです。

113
営業とは、待つ仕事ではない

私が入っていた保険のセールスウーマンの話です。不思議なことに彼女からは一度も、「長谷川さん、どなたかお客様を紹介してください」と頼まれたことがありません。

逆にある時、私から「誰か紹介しようか」と言ったところ、「ありがとうございます。でも、ご心配なさらないでください」と答えるのです。そして「以前は紹介で営業していたのですが、それほど売り上げが伸びなかったんです。むしろ足を使って営業したほうが成績はいい。人を頼って20人に当たっても成約は２件くらい。でも頑張って100人に当たれば、多少率が悪くても15件は取れるんです。それに待っていると腰が重くなって、どんどん成績が悪くなるみたい」と、その理由を明かしてくれました。

そして「紹介はどうしても相手も『仕方なく』って感情があるから、意外に売りにくいんです」と。コネを頼っていく営業には限界がありそうです。

114
プレッシャーこそ、あなたを磨く研磨材！

私のビジネスは、倒産しかけている会社を再生させるという、かなりエネルギーのいる仕事です。経営陣を前にしてそれまでのやり方の欠点を指摘したり、社員たちにハッパをかけて根底からその働き方を変えてもらったり。これは周囲に敵を作ることにもなりかねない作業なので、プレッシャーも並大抵ではありません。

こんな私がプレッシャーに押しつぶされないのは、それを乗り越えることによって自分が強くなってきたという実感があるからなのです。

これはスポーツクラブのインストラクターから聞いた話ですが、筋肉というものは運動後に、必ずその一部が切れるのだそうです。そして切れている筋肉を修復する際、少しだけ今より余計に強くなる。ボディビルダーの見事な筋肉も、少しずつ筋肉を痛めて作り上げているわけです。

ダメージがかかった分、必ず強くなるのは精神力も筋肉も同じだと思います。恐れず立ち向かえば、きっと修羅場に強いハートが手に入ります！

7章
売ることを知っている人は強い

by OYATTO NOTE

115

地味で辛いことに耐える。これが仕事というもの！

友人から聞いた話ですが、美輪明宏さんが「仕事はガマン料」と言ったそうです。名言だと思います。どんな仕事もまず就業時間中はガマンして働く、これが基本です。しかもステップアップするにしたがってガマン料はどんどん増えていきます。赤字の再生企業のなかで働いていると、本当に何もかも投げ出したくなるような時があります。そこで本当に必要なのは、立派な計画書や未来展望図ではなく、ガマンと忍耐力です。責任ある地位になるごとに上司のむちゃな命令と、部下の突き上げにガマンしなければなりません。より厳しくなる目標をクリアするために、心のなかの消極的な部分を封じ込める強い忍耐力が求められるのです。

美輪さんの言葉が素晴らしいのは、「仕事というものは辛くて当たり前」、それが大前提だと言っているところなのです。どんなに成功しても、そこには常に辛さが横たわっている——そう思っておけば、たとえ小さな成功でも自分を幸せにしてくれるのだと思います。

116

売れないときほどお客様に50cmでいいから近づいてみる。決して後ろには下がらない

私がカメラの小売店の経営指導をしていた時のこと。その店での販売スタイルは、カウンター越しに、お客様から質問があれば、そのカウンターの内側から店員が応対するというものでした。マニアのお客様が多く、陳列棚を眺めてあれこれと考えている彼らの邪魔になるべきではない、と店側は考えていたのです。ところが売り上げはどんどん下がり、私の出番となったわけです。

そこで私は、一歩だけカウンターから外に出て、棚を見ているお客様に声をかけるように指導。すると翌月の売り上げは、なんと15%もアップしました。

実はお客様はみな、棚を眺めて迷っていたのです。「欲しいけれど、どうしようか」と。そこで店員がきちんと商品の説明をすると背中を押されて購入の決心がついたのでしょう。営業はまず、お客様に50cmでいいから近づく、これが基本なのです！

117
営業トークを磨こうとするな！営業の決め手は聞く力だ

営業は極論すれば、

①お客様のニーズ……何のために何が欲しいか？

②お客様の予算……欲しい商品を買うために、いくらなら出せるか？

この２点さえ分かれば、どんなに口下手な人でもうまくいくと、私は経験上、認識しています。だから、ニーズと予算さえつかまえたら、あとは相手の欲しいものを提示すればいいのです。

しかし、営業部の人から受けた質問で一番多かったのが、上手な話し方についてです。実は下手にトークを意識すると、かえってお客様が迷う要素を増やしてしまうのです。立て板に水でいろいろな商品の説明をするほど、焦点がぼやけて、選びようがなくなってくる。ですから、まずニーズと予算を伺い、商品を提示する。この作業に派手なトークのテクニックは不要。むしろ営業にとっては、相手の要望を聞き出す技術が重要です。

118

何でもできる器用貧乏はすぐに忘れられる。なぜか？

赤字企業の建て直しの時、私はまず、お金を生み出す営業部門のチェックを最優先しました。その時、何よりも営業マンに同行して、現場を見ることにしています。すると、成績の落ちている営業部門のセールス・トークには、決まってひとつの傾向があることに気づきます。それは熱心に商品の特長を伝えようとするあまり、あれもこれもと長所を並べ立てる点。

しかし、そのようなトークではかえって商品に魅力を感じなくなってしまうものです。というのも、いくつも特長があるとかえって、本当の長所がどこなのかが分からなくなるからなのです。

そんな時、「同じ時間に10個の特長を並べるなら、そのうちの一つの特長にしぼってじっくり説明しなさい」と指導すると、成果が急に上がり始めるのです。

一生懸命やっているのに結果が出ない人は、一度扱う商品のイチオシは何なのかを考えてみてください。

119

お客様はあなたの言葉よりも あなたの態度で 最後の決断を下す

あなたの前にひとりのお客様が現れました。あなたは何を優先するべきでしょう？

①商品の特長を説明する

②まずは相手の予算を聞き出す

③まずはお客様の気持ちをほぐす

答えは簡単ですね？　③お客様の気持ちがほぐれていなければ①も②もありません。ですから営業にはまず、お客様の気持ちをほぐすホスピタリティ（おもてなし）が要求されるのです。接客する上でトークは二の次でもかまいません。それよりあなたの態度が「買うか、買わないか」の重要な判断基準にされるということを心しなくてはなりません。

性急なトークでお客様を「処理」していくと、お客様のほうでは、あとから騙されたような気がしてくるもの。決してリピーターとはなりません。逆に誠心誠意で接していれば、その時は買わなくても次に声をかけてくれるものです。

120

他人のあら探しをする前に己のあら探しを……。自分ブランドを確立する重要なキーはココにある！

先日、長いつき合いをしているゴルフ用品の修理屋さんからゴルフクラブを買いました。パッケージしてもらっている最中に彼が、「あ、長谷川さん、申し訳ない！ここにキズがありました」と言うのです。

本来なら、こちらが商品のあらを探して値切りの交渉に利用するところですが、彼はこれから売ろうとする商品のあらを見つけ、自ら値引きをしてくれました。

ビジネスの世界では、多かれ少なかれこのような状況に遭遇します。例えば自分にあらがあるとき、口をつぐんで「あ、よかった。気がつかなかったよ、あの人」と胸をなで下ろすような人は、トラブルに気づきながら欠陥車を売り続ける自動車会社のように、秒単位で信用を落としているのです。

とるに足らないやりとりのようですが、これができる人とできない人では信用度に大差が生まれます。

121
苦境のときこそ 人を裏切るな！ 人を切るな！ あとで必ずソンをする

企業というものは利益を追求するところ。不況になれば派遣や下請けを切り、自社の利益を確保していくのは当然かもしれません。が、目先の利益にこだわってばかりいると手痛いしっぺ返しが待っています。

自動車会社の日産もトヨタも下請けの締めつけで叩かれていますが、私はトヨタのほうにはフィロソフィーを感じます。日産はかつてＶ字回復を目指して、コストカットの名のもとに下請けをかなり切りました。その影響がいまも残っているようで、それが結局、商品力にも響いているように思えます。

トヨタ、それにホンダは苦境を生き延びた後のことも考えて、有力な下請けを生き延びさせる工夫をしていたように感じます。また、省エネ車などの次世代カーの研究も進めています。たぶん危機を脱出した後、このポリシーの差がはっきりと出てくるでしょう。

人間関係も同様です。苦境のときこそ、苦境脱出後のことを考えて、他人を追いつめないのが肝要です。

122

「あなたというブランド」を立ち上げる労苦を惜しんではいけない！

以前、トイレの消臭剤「シャット」のブランディングに関わった経験があります。それまでの消臭剤は強い匂いで悪臭をカバーするというコンセプトでした。

しかし、この「シャット」という商品は化学的に臭いを消すというもの。そこで「化学反応で悪臭のもとを断つ」というサブコピーとともにイメージ作りをして売り出し、大ヒット商品になりました。これはそれまでの商品との違いを、感覚ではなく、化学反応という客観的な理論とともに消費者に訴求したことによって、消臭剤の分野では大きなブランドになりました。

これはビジネスマンも同じです。あなたというブランドを確立するためにはまず、周りの人との差、そしていままでのあなた自身との差を生み出していかなくてはなりません。これは決して生易しいことではないのです。あなたという商品の地力、魅力、情熱があって初めて、自己というブランドをアピールできるということを忘れてはなりません。

123

ブランドがないことを嘆く必要はない。ブランドがないならないなりの戦い方がある！

企業再生の面から数々の会社を見てきましたが、ブランド力の弱い会社には「悲哀」を感じます。ブランドとプライドは表裏一体の言葉で、ブランドが確立されていない会社や商品に携わる人間はプライドを維持できない苦しさがある。ですが残念なことに、ブランドは一朝一夕には築けないのです。

そういう時はどうすればいいのか。

私は無理せず、「自分たちがつき合っている会社や人たちに分かってもらえればいい」という戦略をとってきました。自分が接する範囲で精一杯、自社製品の優位性を理解してもらう。すると取引先は「課長や部長が毎日のように来て宣伝するものだから、これは本当にいいものなんですね」と言ってくれる。それが新たなブランドなのです。つまり、全社員が自社の製品を使い、そして自信を持つことが大切なのです。

124

ブランド力は けっしてストックできない。一度失えば一気に100からゼロになる！

類まれなるホスピタリティで有名なリッツ・カールトンは「ブランドとは約束である」と言い表したと伝え聞きました。私は「嘘をつかない」「お客様との約束は必ず守る」ということが、結局ブランドの確立に不可欠であると思うのです。

ブランドというのは顧客のイメージするものに違わぬものを提供し続けることによって生まれます。「〜〜の商品だから大丈夫」という信頼感。だから一度ブランド力がつけば、顧客は迷わずリピーターになってくれるのです。

しかし、たったひとつの不祥事で、そのブランド力は一気にゼロにもなってしまう。それは、裏切られたという感情を一気に顧客に与えてしまうからです。どんなにブランド力を蓄えても、それは金銭的なフローとは違う性質のもので、徐々にではなく、なくなるときは一瞬なのです。また、それを取り戻すには長時間かかります。

125

一度失ったブランドは二度と取り戻せない。その理由とは…

良いか悪いかを別にすれば、ハッキリ言って雪印などの不祥事は、一昔前ならカウンターアクション（対抗措置）という方策で表沙汰にせずに済んだかもしれません。大きな圧力、権力を使ってマスコミを抑えるようなことは可能だったはずです。

しかし、昔と違い、いまの日本の電車は1分でも遅れると、車掌さんが「どうもすみません」と言う世の中。それを当然とする教育をされた乗客や消費者は、買った製品で何かが起こったときに許してくれるはずがない。しかもインターネットで流される風評も恐ろしい。

常識的なモラルから外れた行為に対して、日本人は以前ほど寛容ではないのです。そんな社会の風潮のなかで「生き残っていく」ためには、「刺されない」ことが企業も個人も重要。まず、人から後ろ指を指される行動は、絶対に避けるのが最低条件となります。

126

ビジネスの極意は相手の支払い能力の見極めにある

あなたは営業というのは取引先に商品を売り込み、請求書を送ったらそれで終わりと考えてはいませんか。実はこのタイプほど、会社にとって危険な営業マンはいないのです。

理由は相手の支払い能力についてノーケアだから。しかし順調にいっているときは、この問題は顕在化しません。これが怖い！　昨今のような不景気の折などは、支払いのちょっとした遅れや貸し倒れなど、あなた自身の失点に直結する落とし穴が待っているのです。

私は昔からお客様を支払い能力によって５段階に分類していました。支払いがひと月でも遅れたところは現金着払いでないと商品を渡さない、などといったことは日常茶飯でした。常に取引先の支払い実績に注意を払い、そしてそれに沿った対応をすることが肝要なのです。お金のないところから、どう回収するのかがビジネスでは一番難しい仕事なのですから……。

127
人間のニーズには10種類ある

以下はジョンソン時代の同僚、梅澤伸嘉経営学博士の分類。これは私の仕事の種明かしですが、この10の考えのもとに、私は商品開発や販売戦略など、マーケティングの仕事を優位に進めてきました。

1．豊かさニーズ（心豊かな人生を送りたい）
2．尊敬ニーズ（認められる人生を送りたい）
3．自己向上ニーズ（自分を高める人生を送りたい）
4．愛情ニーズ（愛されて生きる人生を送りたい）
5．健康ニーズ（元気な人生を送りたい）
6．個性ニーズ（自分らしい人生を送りたい）
7．楽しみニーズ（楽しく、ラクな人生を送りたい）
8．感動ニーズ（心ときめかせる感動の人生を送りたい）
9．快適ニーズ（快適な人生を送りたい）
10．交心ニーズ（仲良く、心温まる人生を送りたい）

※人間の持つ心の本性、ニーズをうまくつかんで仕事に生かそう！

128

シェアを奪い取る技術。これこそがいま、求められている究極の技術！

どんな企業も存続を考えた場合、２通りの選択肢しかあり得ない。それは「成長する」か「生き残る」か。大きな成長を考えた場合、企業の大小は問わず、海外をターゲットにせざるを得ない。未開拓の市場は、もう国外にしか残されていないからです。

しかし、海外においてさえも拡大する市場など、今後しばらくは期待できないという現実にさらされている。つまり、大部分の企業は「生き残る」ために、最低でも現在のシェアを確保していかなくてはならない。

そして生き抜こうとしたら、他社のシェアを奪い取るしかない。例えば紳士服の大手Ｓ社が今までの専門分野とまったく逆の、婦人服の製造・安売りに進出したが、これも企業が生き延びるための戦略なのだ。

このシェアの話は、個人個人にもいえる問題。あなた個人も、１日のルーティンワークをこなしているだけでは、自分自身の「シェア」はすぐに、他の人に奪われてしまいますよ。

129

時には「成績30%アップ」を目指せ！そこには仕事の進め方を変える必要性が生まれ、道を拓く鍵となる

「部下が思うように機能してくれない」と言う営業課長がいた。そんな彼に「君は『100％アップの売り上げを目標に』と尻を叩かれるのと、『10％アップを目指せ』と言われるのと、どっちがやる気が出る？」と尋ねると当然、答えは10％アップのほう。「じゃあ、30％ならどうだろう？」と聞くと彼は「厳しいけれど、工夫次第で何とかできそうな気はします」と答える。

「何とか工夫次第で」というのが、この30％という数字の秘密なのだろう。目標が10％アップでは、ちょっと頑張って外回りを増やすとか、残業時間を増やすといった「力ずく」の仕事で解決できてしまう。しかし、30％程度の効果を上げようとするときは、それまでの仕事の進め方を、システムから見直さなくてはならない。ここに飛躍の鍵があるのだ！

もちろん、これは部下を効率よく動かすための数字ではない。生き残るビジネスマンは日々、30％の業績能力アップを目指すべきなのだ。

130
売れない理由を探す頭があったら、売れる理由を考えろ！

「うちの商品はデザインが古臭いし、新しい機能もない。そのくせ値段が高いから売れるわけはないですよ」と会議で嘆く営業マンがいました。

黙って聞いていると、次から次へと売れない理由が出てくる。いいかげんウンザリして、「それだけ商品の欠点を見つけ出せる優秀な頭があるのだったら、長所を見つけるほうにも頭を使ってくれ！」と怒鳴りつけたことがあります。

中途半端に頭が回る営業マンが陥りやすいのが、「客観性」という言葉のもとに自社の製品の短所をあげつらうこと。よりよい商品を開発していくためにはそのような視点も必要だが、結局、自分が売れない言い訳をしているに過ぎない。頭がいいだけに売れない理由はどんどん見つける、そんなネガティブな発想では、決してモノを売ることなどできるはずがない。残念ながら、不景気になればなるほどこういう人たちが増える危険性がある。

131
「オレが売ってきます!」と言い切る営業マンは不思議と結果を出す。その理由とは?

有能な営業マンは例外なく、自社の商品に自分の子供に対するような愛情を持っています。多少ダメなところがあっても長所は決して見逃さず、大事に育んでいこうという態度で接しています。

言い換えれば、まず「売る」というところから発想をスタートさせることができる人たちであること。それが優秀な営業マンの最低条件なのでしょう。

商品のどこがストロングポイントかを見抜き、あとはそのストロングポイントを信じ抜いてエネルギッシュに行動する……。そのような姿勢がないと、営業という仕事は本来できないはずです。

トップセールスマンと呼ばれるには学歴や輝かしいキャリアは不要。扱う商品をポジティブに捉えることができるかどうか、その一点さえクリアしていれば誰もが優秀な営業マンになれる可能性があります。

132
新しいビジネスモデルは「感謝」のなかにある!

長く続く不況のなか、企業はみな弱体化し「健全さ」を失ってきています。派遣切りなどはその手始めに過ぎません。この先、一流メーカーでさえも、消費者の不利益を顧みず自社の利益確保のために品質を落とすような行為があるかもしれません。

しかし、こんなビジネスモデルで生き残ることができるのでしょうか? 私はこのような世の中だからこそ「感謝されるもの」を生み出すことによって膨大なアドバンテージを得るべきだと考えます。

「ラクになる感謝」「便利になる感謝」「快適になる感謝」「キレイになる感謝」「温かくなる感謝」「幸福になる感謝」「豊かになる感謝」……。これらを実現することによって、提供する側にもプライドが生まれる。感謝されることに感謝できるメンタリティを持てるのです。

伸び悩んでいる人にも同じことを伝えたいものです。「感謝されることを目指して仕事をしなさい」と。顧客に、上司に、社長に、部下に、家族に……。関わる人たちに感謝される働きをすれば、必ず仕事力は上がります。

8章
自分の得意技を持ちなさい!

by OYATTO NOTE

133

売り上げはご飯！人も企業もメシを食わなきゃ倒れてしまう！

この言葉は、赴任した大赤字会社の売り上げを見て、「これではアカン！」と憤慨しながら、思わず口をついて出てきた私のつぶやきです。意外なことに真っ赤な会社ほど、売り上げが、会社としての優先順位の二の次、三の次になっているケースが多いのです。

私が思うに、営業マンは特殊技能者です。モノを売るプロです。でも、売れない人はいくらやってもひとつも売れない。ですが赤字会社の人事を見ていると、適材適所などという考えは毛頭なく、単なる人数合わせで、営業向きでない人を配置しているケースが多いのです。これは売り上げに対しての優先順位が低い証拠です。

しかし、企業にとっての売り上げは飯粒。売り上げを入れてくれなければ、どんどんやせ細ってしまいます。そして、あっという間に会社は潰れてしまう。何も、売り上げを上げる社員を優遇せよというわけではありません。しかし、売り上げは、何よりも優先すべきことなのです。

134
学歴があっても学力がない人、体力があっても根性がない人

上の２つのタイプは、いくら履歴書のスペックが良くても、生き残れないタイプです。

学歴があっても学力がない人は教えた仕事だけは本当にきちんとやります。しかし、自分で考えることに積極的ではないので進歩が遅い。一方、体力があっても根性がない人はあきらめが早い。それはいまの仕事で自分に何が求められているかを突き詰めて考えていないから、やる気が湧いてこないのです。

つまり、この２タイプは自分の仕事に対して無関心なのです。少なくとも上司の目にはそう映ります。もし、私がこのような部下を持ったときは、「俯瞰の目」を持って仕事に当たらせます。たとえ平社員でも自分がセクションの長になったと仮定したとき、自分に何が求められ、何をすべきかを考えさせるのです。それによって責任感も生まれます。実は早く出世していく人たちの共通点は、この俯瞰の目を持っていることです。常に全体像を見渡して行動するクセがついているので、ひとつ上のレベルを任せても安心なのです。

135

「君たちはプロだ！休むのは引退してからで十分だ!!」

これはサッカー元日本代表監督のオシムさんがジェフ千葉の監督に就任した当時の言葉です。彼が課した走りっぱなしのハードな練習に、早々に音を上げた選手たちに放ったひと言で、これは非常に激しい言葉です。当然、選手の不満は膨らみました。選手たちは陰で「あの監督は相当、ヤバい」と漏らしていたそうです。

しかし10試合も終えた頃には、彼らは不満をまったく言わなくなりました。それは「自分たちは徐々に強くなっている」という実感が、確信に変わったからです。

人間、一生のうちに一度は、精根がつきるほどのハードワークをする期間が必要だと思います。1日24時間、いや26時間仕事づけの日々を過ごすべきです。

ハードワークで鍛えられるのはスキルだけではありません。何よりハートが強くなります。そしてグングンと地力がついてくる実感が得られたら、それこそ、しめたものです。

136
リーダーの能力とは一緒に働く人たちのモチベーションを上げること

　これは私自身の体験からして、かなり難しいことです。特に業績の落ち込んだ赤字の会社ほど、リーダーは「この人と一緒なら頑張りたい、努力したい」と周囲に強く思わせなくてはなりません。そのために私は、社員たちのプライドを取り戻すための工夫をいくつも試みます。

　例えば社員一人ひとりの業績を細かくチェックして、その実績が多少劣っていても、何かと名目をつけて表彰してきました。実際、数字で功績を表すことのできない部署の人たち、そんな縁の下の力持ちにスポットを当てることが、会社全体のやる気を引き出す導線となることが多いからです。

　それは会社の再生というのは結局のところ、社員のモチベーションが一番のキーになるからです。先に述べた表彰制度などを例にとっても、モチベーションを高めることに大きなコストはかかりません。現有戦力を最大に活かすためにすべき一番の仕事は、部下たちを情熱のある人間に育て上げることなのです。

137

お客様は、あなたの都合で生きてはいない。まずそのことを胸に刻もう

「仏の顔も三度まで」といいますが、お客様というものは、二度も三度も失敗を許してくれるほど甘くはありません。

例えば自分の行ったレストランの値段がとても高かった、しかもすごくまずかったら……もう一度行くでしょうか。ひどい扱いをされたら、二度と来てやるものかと思うはず。それが本音です。

しかし、自分がレストラン側にいると、意外に無頓着になってしまうもの。「なぜ、お客が来ないのだろう？　それはきっと立地条件が悪いからだな」などと思ってしまう。味やサービスが原因だなんて考えません。

人間というのは、けっこう自分に甘い生き物です。ですから、儲けようと思ったらまず甘えを捨てる。そして、毎朝、「今日１日はお客様の視線で、お客様の立場に立って考えよう」と言葉に出して、何度も何度も復唱してみることです。

138
ラクに利益が出ている…こんな状態は、そんなに長くは続かない！

売り上げが上がらなくて苦しい時、一番ラクなのは値引きすることです。例えばあなたが弁当屋さんをやっていたとします。売り上げが上がらないから380円のシャケ弁を290円で売り出す。当然、粗利は別として売り上げは上がるでしょう。もしかしたらお客が増えて結果的には粗利だって倍近くになるかもしれません。

しかし、誰にでもできることは、商売敵に簡単にマネされてしまう。今度は近所の店が260円に値下げすると、しょうがなくあなたは250円に……と、どんどん自分の首を絞める結果になっていくのです。もし相手が資本力のある店だったら、彼らは「ここはチャンス！」とばかり、あえて強烈な値下げ競争に出てくる可能性だってあります。あなたの店さえ潰してしまえば、その地域を独占することもできるのですから。

ラクして儲けが出ている時こそ「落とし穴があるかも」と思うべきなのです。ラクをしたしわ寄せはどこに隠れているのか、それを見落としてはいけません。

139
人は説得しても動かない！

私が再生会社に赴任しての最初の会議、いわゆるキックオフ・ミーティングを重視するのは、「人間は説得しても動かない生き物」だと思っているからです。

もし、説得して動く生き物なら、最初は時間がかかっても社員一人ひとりを呼んで「頼むからこういうふうに働いてくれ」と説いてまわるでしょう。

しかし人間は「説得」ではなく、「納得」しなければ動かない生き物。ですからキックオフではまず、どうすれば会社が再生できるかをきわめて具体的に説明していくことになります。これは個別に行なうより社員全員、横一線に行なうほうが効率はいいものです。

問題を抱える社員には個別で面談することもありますが、これも説得はしない。どうすれば良くなるかを彼らが納得するまで話します。場合によってはセールスについていったり、作業の見本を示したりすることも厭いません。不思議なもので、人間は感情的な生き物のように思えても、理にかなわない仕事には、決して心底、取り組もうとしません。人を動かすコツは「理」を示すことなのです。

140
個人プレーを磨いて初めてチームプレーができる

これは日本サッカー史上、最高のストライカーといわれる釜本邦茂さんが放った、いまでも心に残っている言葉です。

リーグ最高の202得点を挙げた釜本さんは「点を取るのはオレの仕事」と、練習は常に「自分はいかに点を取るか」を念頭においてやっていたのだとか。「チームプレーだ、組織力だと言っているうちは強くならない」が口癖だったといいます。それは個人が強くて初めて組織が強くなると考えていたからでしょう。

強い組織、業績を上げる組織というのは例外なく、個人個人のスキルや能力が高く、組織にぶら下がって何となく働いている社員のパーセンテージが低いものです。ですから、もしあなたがいまの組織で、なくてはならない存在を目指すなら、まずはあなた自身のスキルを上げていくことが大事なのです。馴れ合いの仲良しクラブでは結局、できない言い訳を帰りの居酒屋で発散させるだけに終わってしまいます。

そんな人生でいいはずがありません！

141

頭が固くなったと感じてから私が習慣化していること

私の経験からいって、40代の後半になると、人間は体力の衰えを感じはじめます。しかし会社で責任のある地位にいると、弱音など吐いていられません。

だからこそ私は、以下の３つを習慣にしました。

読み書き、計算をひんぱんにやる

積極的に人とコミュニケーションをとる

手や指を使ってなにかを作り出す

これらは大脳の前頭前野を鍛え、集中力や判断力の低下や脳の老化を防ぐそうです。

もっと若い人ならスポーツクラブへ通うとか、ゴルフをするなど、積極的に健康とコミュニケーションへの投資をするのもいいでしょう。忘れてはならないのが①下半身の運動、②大腰筋と腹筋を鍛える運動、③お尻の筋肉を鍛える運動です。これらを毎日続けることで将来の転倒や骨折を防ぐことができるそうです。

人も企業も同じです。安定が未来永劫続くというのは幻想にすぎません。常に体力を維持し、努力することが必要なのです。

142

歯車になるな!
モーターになれ!

この言葉は、私がまだ20代で、ある大手の外資系の販売企画部にいたときに、取引先の大先輩から教えられた心に残るひと言です。

いまでも、何かあると自分に言い聞かせています。

働くということは、お給料をもらい、生活するということです。当たり前のことです。

ただ、働くということは、自分の望むこと、達成したいこと、いくつかの夢を実現し、本当に心から満足できる人生を歩むことだと、私は思うのです。

人にはそれぞれ、目標があります。

その目標に向かって、歯車ではなく、自らが力強いモーターとなって回り、自分を、会社を、そして、この世の中を動かしていってください。

この言葉をみなさん方に、バトンタッチしたいと思います。

仕事と人生の先輩

長谷川和廣より、若い人たちへ

【著者紹介】

長谷川和廣（はせがわ・かずひろ）

◉——1939年千葉県生まれ。中央大学経済学部を卒業後、マルチナショナル企業である十條キンバリー、ゼネラルフーズ、ジョンソン等で、マーケティング、プロダクトマネジメントを担当。その後、ケロッグジャパン、バイエルジャパン、バリラックスジャパンなどで代表取締役社長などの要職を歴任。

◉——2000年、㈱ニコンと仏エシロール社の合弁会社㈱ニコン・エシロールの代表取締役。50億円もの赤字を抱えていた同社を１年目で黒字へ、２年目で無借金経営に変貌させた経営手腕は高く評価されている。

◉——これまでに2000社を超える企業の再生事業に参画し、赤字会社の大半を建て直す。そこで体得した知恵、有益な仕事術、人の動き、組織運営、生き残り術など、そのエッセンスを27歳のときから書き始めた実践的な「仕事のノート（おやっとノート）」に書き出し分析。そのノートに記載された数々のノウハウを、現在は会社力研究所代表、そして国際ビジネスコンサルタントとして、赤字に陥った多くの経営者を救済するために役立てている。

◉——著書に『超・会社力』『仕事前の１分間であなたは変わる』『社長が求める課長の仕事力』（かんき出版）『５％の人を動かせば仕事はうまくいく』（すばる舎）がある。

社長《しゃちょう》のノート　〈検印廃止〉

2009年７月６日　第１刷発行
2009年11月６日　第14刷発行

著　者——長谷川和廣©
発行者——境　健一郎
発行所——株式会社かんき出版
東京都千代田区麹町4 1-4西脇ビル　〒102-0083
電話　営業部：03(3262)8011㈹　総務部：03(3262)8015㈹
編集部：03(3262)8012㈹　教育事業部：03(3262)8014㈹
FAX　03(3234)4421　振替　00100-2-62304
http://www.kankidirect.com/

印刷所——ベクトル印刷株式会社

ISBN978-4-7612-6603-5 C0034